泳ぐのに、安全でも
適切でもありません

江國香織

この作品は、二〇〇二年三月、単行本としてホーム社より発行、集英社より発売されました。

泳ぐのに、安全でも適切でもありません

It's not safe or suitable to swim.

目　次

レイアウト・渡辺貴志

泳ぐのに、
安全でも
適切でもありません
It's not safe or suitable to swim.

一緒に住んでいる男と別れようかどうしようか考えながら紅茶をのみ、紅茶をのみながらそのへんに散らかっている雑誌やTシャツやカップめんの容器を片づけていると、電話が鳴った。午前七時だった。

電話は妹からで、祖母がゆうべ入院したという。

「肺炎だって。あぶないらしいよ」

九十三歳になる祖母は、私たちの母と二人で住んでいる。しばらく前から風邪《かぜ》をひいていたのだが、ゆうべ遅くにいきなり呼吸困難のようになり、動転した母が妹に電話をかけて、妹が救急車を呼んだらしい。

私は病院の場所をきき、電話を切った。

だらしなく手足をひろげ、トランクス一枚で眠っている男を揺り起こした。寝室はむし暑く、アルコールと煙草《タバコ》の臭気がこもり、空気がよどんでいる。

「ねえ、起きてよ。ばばちゃんが入院したって。たぶんもう死ぬよ。私、病院にいかなくちゃ」

マグカップを片手に持ったまま男を揺すったので、紅茶がすこしこぼれた。どっちみち部屋は汚れきっているので、私はもう気にしない。

「ねえ、きこえた？」

男はうめき、腕をのばして、私の腰を抱きよせた。

「帰りが何時ごろになるかはわからないわ。容態次第だし、病院から電話する」

私は、男の額にはりついた髪をかきあげてやりながら言った。無職で酒のみで散らかし屋で甘ったれの、母に言わせれば「ろくでもない」男の、汗ばんだ額に唇をつける。

でかける前に、短いセックスをした。朝だというのにカーテンを閉めきったままの寝室の、饐《す》えた空気と湿ったベッドのもの憂さのなかで。

無職で酒のみで散らかし屋で甘ったれの男は、しかし私との身体的合性がいい。ほとんどおそろしくなるほどだ。何かの中毒患者のように、私はそれを貪《むさぼ》り、それに飢《かつ》える。与えられれば与えられるほど、欲しくなるのだ。夜でも、朝でも。もう五年、こんなふうに暮らしている。

シャワーを浴びて戻ると、男は再び寝入っていた。私はできるだけ物音をたてないよう、うす暗い部屋で手早く身支度をした。サングラスをかけ、車の鍵《かぎ》を持って、外へでた。

祖母については、すでに覚悟していた。年をとっていたし、自宅でも、もう何年も、一日の大半を床についてすごすようになっていた。

彼女はもう十分に生きた。私は車を走らせながら、そう考えた。感傷的になることに意味はないからだ。

道が途中でひどく混《こ》んだので、鎌倉《かまくら》の病院に着いたときにはお昼近くになっていた。駐車場に車を停《と》め、サングラスをはずして鞄《かばん》に入れた。助手席に散らかったマクドナルドの袋や紙コップ――ドライブスルーに寄ったのだ――をまとめ、鞄とゴミをかかえて車から降りた。駐車場にはひと気がなく、太陽がふんだんに照りつけていて、のどかな風情だった。病室というものが禁煙であることをふいに思いだし、私は荷物をかかえたまま、壁にもたれて煙草を一本くわえて火をつけた。夏空がひろがっている。いまこの瞬間に、祖母が死んだかもしれない、と、考えた。

ロビーは狭くて暗く、陰鬱《いんうつ》な気配がした。受付で尋ねると、祖母はついさっき、集中治療室をでて一般の病室に移されたところだという。ゴミを捨ててからエレベーターに乗り、教えられた病室に向った。

その階の患者は、どの部屋もどの部屋も老人だった。廊下を歩いているのも老人ばかりで、ベビー服めいたパジャマのやわらかな色あいとうらはらな、しわの刻まれた硬い顔つきに目をうばわれた。長く入院しているひとも多いらしく、何か食べていたりテレビをみていたり、フロア全体が病院というより老人ホームのような空間に思えた。

祖母の病室は、八人部屋だった。

右側の、奥から二番目のベッドの足元に母と妹が立っていたので、そこに寝ているのが祖母だとわかった。私は、私の知っている祖母を頭から締めだした。そこに寝ているのは何か別の物体、祖母の人格や人生とは別の、老いて休息を求めている物体なのだと思おうとした。

「生きてるの？」

母と妹のどちらにともなく小声で言うと、妹は、

「生きてる」

とこたえたが、母は眉《まゆ》をつりあげた。私もお返しに眉をつりあげてみせてから、ベッドに近づいた。

「もっと別な言い方はできないの？」

うしろで母が言っている。

それは、でも、まぎれもなく祖母だった。元々小柄だが、さらに二回りほど小さくひからびてしまったように見える祖母――私たちのばばちゃん――は、酸素マスクとかチューブとかを身体中《からだじゅう》にくっつけられたまま、でもぱっちり目をあけていた。きょとんとした顔をしており、いますぐ永遠の休息を求めているという様子ではなかった。しゃがんで視線をあわせると、ゆっくりとうなずきさえした。

「おどろいた」

私は、目の前に横たわっているのが私のよく知っている祖母だと認めざるを得な

かった。

「元気そうじゃないの」

その言葉は、無論おかしな選択だっただろう。祖母は、どこから見ても重病人なのだから。

「からすとんびみたいでしょ」

祖母の鼻と口をおおった、小さくて奇妙なマスクをみつめながら、妹が言った。

「ほんとね」

おなじものをみつめながら私はこたえ、しばらくじっと、そこに立っていた。

「でもよかったわ。これできっともち直すわね。昔から心臓の丈夫なひとだもの」

母が言い、私も妹も、そのとおりだと思った。

医者は、しかし、祖母はもう退院できないと言ったという。今回の危機をやりすごせただけでも驚きなのだ、と。それはいまではなかったが、あしたかもしれないし一カ月後かもしれない、いずれにしてもそれはすぐそこまで来ていて、もはや進路を変えることはない、と。

「それって?」

私が尋ねると、ぽっかり沈黙の間《ま》ができて、それから母も妹も首をかしげた。さっぱりわからない、とでもいうように。

それで私は口にだしてみた。

「なによそれ。さっぱりわからない」

と。

このとき私たち三人の交わした微笑《ほほえ》みは、かなしいというより、落ち葉みたいに乾いてあかるいものだった。

「それにしてもあんたたち、あいかわらず奇抜な恰好《かっこう》してるわねえ。病院じゃ目立ってしょうがないわ」

母が言い、私と妹は、互いに相手の服装をみて、ほんと、と、顔をしかめあった。

「薫《くん》ちゃんの問題は髪よね」

私は言った。妹は、クレオパトラみたいな髪型をしている。まっすぐで量の多い黒髪を、とても長くのばしている。

「頭が大きくみえるから、痩《や》せっぽちが強調されちゃうわ」

紫色のタンクトップからつきだした細い両腕に、妹は、あわせて十二個の銀の輪をはめている。

「はづちゃんだってひとのこと言えないよ。いい歳《とし》してスカート短すぎるし、髪、しましまだし」

私は、髪にたくさんメッシュを入れている。短く切っているが、くせ毛なのでライオンのたてがみみたいにひろがってしまう。

「でも、どっちの恰好も、あの水着ほど奇抜じゃないよね」

妹が言った。「あの水着」の話は、妹の気に入りの思い出話だ。

もう三十年も前(この話に祖母はでてこない。私たちの父が死に、三人で鎌倉の祖母の家に身を寄せることになる前の話だ)に、母が私たち家族——父と母と妹と私——のために、お揃《そろ》いで作ってくれた水着。それは毛糸で編まれたもので、複雑な色あいの縞模様《しまもよう》だった。一つずつはそう奇抜ではなかったが、一家で着ると、奇抜だった。それに、濡《ぬ》れると編み地が重くなり、私と妹のワンピース型のそれは、肩紐《かたひも》がだらんとのびるので、胸がすっかりむきだしになった。

私たちは、でもその年何度もその水着を着て海水浴をした。母のはビキニで、父のはホットパンツ型だった。

大部屋なので声を低めてはいたが、それにしても私たちは騒々しい見舞客だったに違いない。私も妹も滅多に実家に帰らないので、家族が揃うのはひさしぶりのことだった。

妹の薫子《かおるこ》は一度結婚して離婚し、それ以来一人で住んでいる。電話をすると時々男がでるが、妹に言わせると、彼らはみんな「友達」だそうだ。

「きょうは仕事休んだの?」

私が訊《き》くと、妹は、休んだ、と、こたえた。妹はコンピューターのプログラマーをしている。英語ができるので、コンピューターの専門書の翻訳も、副業でしているらしい。

「葉月《はづき》の仕事は最近どうなの、ちゃんと注文はあるの?」

母が口をはさんだ。

「大丈夫よ。なんとかやっているから」

私は小説を書いている。

病院から電話をする、と、男に言い置いて来たことを思いだし、私は廊下のつきあたりの公衆電話から、電話をかけた。呼出音を十二まで数えたところで、あきらめて受話器を置いた。半ば予期していたことなのに、ひどく失望を感じた。男は祖母に会ったことはないが、死ななかったと言えばよろこんでくれただろう。私は、はやく男にそう報告したかった。死ななかった、と誰かに言うことで、それがより確実になるような気もした。

耳ざわりな音と共に戻ってきたテレフォンカードを財布にしまおうとして、中の札がすっかり抜き取られていることに気がついた。

まただ。

私は天井をあおいだ。

今度こそ別れてやる、追いだしてやる、別れてやる、追いだしてやる。空《から》の財布を鞄につっこむと、胸の内で毒づいた。それは、むしろ安堵《あんど》に近い感情だった。何かを恐れているより、恐れていることが起きてしまう方が、すくなくとも安全な状態ではないか。

それから、猛然と腹が立った。

こういうことははじめてではなかった。私は大抵車で行動するし、車のドアポケットに多少の現金を入れているので、財布の中身を抜きとられてもすぐには気づかない。

またただ。

まただまただまただ。私は自分を呪《のろ》った。ばかみたいだ。何度おんなじことをされたらあきらめがつくのだろう。

気を鎮めようと、煙草の吸える場所を求めて屋上にあがった。金網ごしに、山と住宅地がみえる。圧倒的なかなしみがおしよせた。今夜私に罵倒《ばとう》されることを、男は知りながらいまどこかでその金を使っているのだ。男の、ブラックホールみたいな淋《さび》しさを思った。

病室に戻ると、医者と看護婦が何人も、祖母のベッドのまわりからひきあげるところだった。

「酸素マスク、もういらないみたい」

嬉《うれ》しそうに、母が言った。

祖母は驚異的な回復力をみせ、じっと横たわったままではあったが、家族がかがみこんで視線をあわせると、にっこりしたり、手を握ろうとしたりした。私たちは順番に、かわるがわる彼女の手を握った。

母は、ベッドの足元にたてかけてあった小ぶりのホワイトボード──耳の遠い祖母に何か伝えるには、もう随分前からこのホワイトボードが役に立っていた。母はそれを、祖母と一緒に救急車に乗せてここに持ち込んでいたのだ──をおもむろにとりだし、紐でぶらさがったサインペンで、
苦しかった？

と書いて、祖母にみせた。祖母は眉間《みけん》にしわを寄せ、随分と長い時間をかけてその文字を読んだあと、にっこりして首をしずかに横にふった。私と妹は拍手をしてよろこんだ。

「あんたたちも何か書きなさい」
母に促され、でも私には書くべきことがみつけられず、仕方がないので、
こんにちは
と、書いた。祖母はそれをまた真剣に、時間をかけて読み、はいこんにちはと言うように、ゆっくりとうなずいた。
妹も何を書いていいのかわからず困ったらしく、
ばばちゃん
と、大きな、子供っぽい字で書いた。祖母は妹の手を、ぽんぽんとたたいた。
母は傍らで涙ぐんでいたが、ふいに、
「そうだ、先生にお礼を言ってこなきゃ」
と言うと、次の瞬間には病室をとびだしていった。
「ママのあれには絶対追いつけないよね」
妹が苦笑する。母は、思いつくと同時に行動している人間なのだ。
「安心したら、おなかがすいちゃったわ」

戻ってくると母が言い、ゆうべから何も食べていないという母と妹のために、私たちは遅いお昼を食べにでることにした。ドライブスルーに寄ってきたことを告げると、妹は、

「信じられない」

と言ったが、母は、

「私は信じられるわ」

と言った。

「葉月は昔から冷淡なところがあるのよ。ママが死にかけていたって、きっとハンバーガーが食べられるでしょうよ」

行きたかった店がある、と母が言い、現金の持ちあわせがないことを思いだした私は、クレジットカードの使える店であることを祈った。

私たちは、その店のある場所まで路線バスに乗っていった。乾杯をしたいと、母が主張したからだ。母に言わせると、こんなところに車で来る人間は「考えなし」なのだ。

比較的最近できたらしいそのレストランは広く、小ぎれいで、高台にあるので遠くに海が見渡せた。ハイシーズンだが、海岸から遠いこととランチタイムを過ぎていること、それにおそらく、ピザやソーセージといったカジュアルなものをだす店のわりには値段が高いことのために、店内はとてもすいている。テラスでは暑すぎるので、室内の、窓際の席を選んだ。ブルーのテーブルクロスの他は、何もかも白で統一されている。白ワインを一壜《びん》たのみ、母は浅蜊《あさり》のスパゲティを、妹はシェフサラダとオニオンリングを、それぞれ注文した。

「素敵だわ」

ガラスごしに山と海を両方眺めながら、母が言った。

「三人で外で食事をするのなんて、何年ぶりかしら」

私たちは、死に瀕《ひん》した近親者を見守っている人間には、どうしたって見えなかっただろう。三人ともサングラスをかけ、白ワインを啜《すす》りながら、五分に一度は笑い声をたてた。実際、浮き浮きしていた。陽気といってもよかった。祖母がとりあえず一命をとりとめたということと、じきに死ぬということの両方が、私たちを奇妙に高揚させていた。医者はああ言ったけれど、ばばちゃんはにこにこしていたし、全然苦しそうじゃなかった。ばばちゃんは私たちのうちの誰よりも健啖家《けんたんか》だったし、着物の衿《えり》をちょっと抜いて粋《いき》に着て、夕方になると毎日かかさずビールをのんだ。戦争も地震もくぐり抜けてきたし、医者にかかったことがないのが自慢だった。医者にはわからなくても仕方がないが、あのばばちゃんが大人しく死ぬはずがない。私たちは三人ともそう思っていた。それはほとんど確信だった。そして、その確信と少しも矛盾しない不思議な冷静さで、彼女が死ぬことを知っていた。

「薫ちゃん、いま誰かとつきあってるの?」

尋ねると、妹は悪びれずに「うん」と言ってうなずいた。友達だけどね、と。一緒に住んでるの、と訊くと、首をかしげ、

「出たり入ったりしてるからなあ」

と、こたえる。私が笑うと、母は、

「笑い事じゃないわよ」

と言って、でもやっぱり笑った。

「またなの？　あんたたち二人とも、男のひとをちゃんとつかまえとくってことが、どうしてそう下手なのかしらねえ」

「ああ、そういえば」

いかにも思いだしたというふうに、私は言った。

「うちの『ろくでもない男』がママによろしくって。ばばちゃんのことも心配して、きょうも来たいって言ったんだけど」

私はなめらかに嘘《うそ》をついた。

「いいわよ、来なくて」

母はオニオンリングをつまんだ。

「そう言うと思って置いてきたわよ」

「結局、いい男を引きあてたのはママだけだったわね」

母は言い、それは母の得意のセリフなので、私も妹も聞き流した。

その「いい男」――私たちの父親――は、でももう二十年も前に死んでしまった。

母は一人で、娘二人と祖母を抱えて、生きてこなくてはならなかった。私は、ときどきそれをひどいと思う。父は、母を残して死ぬべきではなかった、と、思う。

「いい匂《にお》い」

ただよってきたにんにくの匂いに、妹がうっとりと言った。

妹の左目の横には、肌色にふくらんだ、小さな傷がある。かつて、二年間だけ結婚していたイギリス人の男に、電話機をぶつけられてできた傷だ。あのときは私も母も無論憤慨したが、妹は果敢にもその傷を「愛のメモリー」と自ら命名し、くすくす笑いの種にしてしまった。

妹にはどこか頓狂《とんきょう》なところがあって、たとえばさっきのバスの中で、

「ね、からすとんびって何?」

と、私に訊いた。私はめんくらい、

「だって、さっき薫ちゃんが言ったのよ、からすとんびみたいでしょうって」

と、思いださせた。妹は邪気なくうなずいて、

「はづちゃんが来る前に、ママが言ったのよ、私に、あのマスクからすとんびみたいねって。それで私もそう言ってみたの」

と、説明した。薫子はそういう妹だった。私は可笑《おか》しくなり、

「知らないわよ、からすとんびなんて」

と言って笑った。

「知らないけど、あれはたしかになんとなく、からすとんびみたいなマスクだったわよ」

それを聞くと妹も笑いだし、母も笑いだした。私たちはばかみたいにみえたと思う。知らないの？　とか、知らないわよ、とか、何度も互いに言いあいながら、バスの中で、三人で大笑いをした。

ともかく、それが私たちのやり方なのだ。そんなふうにして、私たちはいくつかのかなしみをやりすごしてきた。

It's not safe or suitable to swim.

ふいに、いつかアメリカの田舎町を旅行していて見た、川べりの看板を思いだした。遊泳禁止の看板だろうが、正確には、それは禁止ではない。泳ぐのに、安全で

も適切でもありません。

私たちみんなの人生に、立てておいてほしい看板ではないか。

私は、私たちの家族が、母の編んだ奇抜な縞模様の水着を着て、川を泳ぎ進もうとする光景を思い浮かべた。

父は痩せっぽちだった。母は小柄で、私は中肉中背だが、妹も痩せっぽちだ。

想像の中で、空は曇っていて肌寒い。水辺を歩く私たちの唇はむらさき色で、腕にはとりはだが立っている。

「波が高くなってきたわね」

食後のコーヒーをのみながら、母が言った。私が煙草をくわえると、

「また吸うの？　毒よ」

と、言う。私はかまわず火をつけた。祖母も母も、夫を早くに亡くしている。ただでさえ女の平均寿命の方が長いのだ。煙草でも吸わなきゃ長生きしすぎてしまう。

一人ぼっちで病室に寝かされている祖母を思った。

「葉月は、きょうはうちに泊れるの？」

私は首を横にふった。

「帰らなきゃ」

つめたいわねえ、と言って、母はためいきをつく。

「病院に戻ってもう一度ばばちゃんの顔をみて、それから帰るわ」

私は煙草をもみ消し、伝票をとって立ち上がった。ほかに、客はいなくなっていた。遅い午後の日ざしのなかに、青いクロスのかけられた無人のテーブルが、退屈そうにならんでいる。

「退院したら、ばばちゃんも連れてきてあげましょうね」

しずかに母が言った。

うんとお腹を
すかせてきてね

We must be famished.

女は、いい男にダイエットをだいなしにされるためにダイエットをするのだ。

濃く煮つめられた甘い汁を、一片の鹿肉《しかにく》ですくいとりながらあたしは考える。鹿肉はひきしまっており、広々した枯れ野の匂《にお》いと、けものそのもののやさしい味がした。

寒かったので、あたしたちはその日の食事をオニオングラタンスープで始めた。違う。正確に言うならシェリー酒で始めた。あたしたちの好きな、強くて芳《かんば》しい金色のお酒。

それからつめたいパテを食べ、温かく蒸した野菜を食べ、鹿肉にとりかかっているのだった。

いつものように、あたしたちは視線をからませあっている。あたしは、そもそも出会ったときからそうだったのだけれど、この人の強い熱いまっすぐな眼差《まなざし》の前で、もうひとたまりもない。息苦しくなって、せつなくて、泣きたいのか笑いだしそうなのかわからなくなる。それでたいてい笑う方を選ぶ。その方がまだ穏当だと思うからだ。でもそれは、苦しげなため息みたいにきこえてしまう。

「食べて」

裕也《ゆうや》——というのがこの人の名前なのだが——は言い、フランスパンを小さくちぎってそのパンとほとんどおなじ大きさのバターをのせ、それで肉汁と果物と様々な香辛料と、その他あたしの知らないいろいろなものの混ざっている鹿肉のソースをたっぷりすくいとったものを、目の前にさしだす。

あたしは口をあけて受けとった。それがパンとバターと肉汁と果物そのものの味であるために、あたしはほとんど泣きそうになる。おいしいからではなく、野蛮だから。

一壜《びん》のワインが750㎖だというのは素晴らしい思いつきだと思う。二人で食事をし、デザートを選ぶあいだに一口分だけグラスにまるく残る分量。

あたしたちは毎晩一緒にごはんを食べる。どちらかが仕事で東京を離れない限り、そして、月に一度の裕也のXデイ以外、平日も休日も、毎日だ。もう四年、続いている。だからあたしは思うのだけれど、あたしたちの身体《からだ》はもうかなりおなじものでできているはずだ。栄養素というか、肉体的組織の構成成分として。その考えは、あたしを誇らしい気持ちでみたす。

あたしたちは食後にどっしりしたココナツクリームのケーキを一つずつ食べ、エスプレッソをのんだ。

あたしたちは毎回、我ながら見事に食事をする。一つ一つ全部を味わって、舌も目も鼻も指先も、感覚という感覚を全部使ってきれいに食べる。うなったり、満足の吐息をこぼし合ったり、目配せをしたり、テーブルの下で膝《ひざ》をぶつけ合ったり、にんにくの味のする唇ですばやくキスをしたりしながら。

「ああ、食べた」

あたしが言い、

「まったくだ」

と裕也が言う。

裕也以外の誰も知らないことなのだけれど、あたしはとてもたくさん食べることができる。骨つき肉は骨までしゃぶるし、バターはたいてい途中でおかわりをもらう。手長エビはいちばん細い足の中の肉まで吸いだして食べる。どれも、裕也と出会うまでは苦手だったものだ。

注文しているときお店の人に、「それですとかなりヴォリウムがありますが」と言われることもある。裕也はたのしそうにあたしを見る。あたしは「へいちゃら」という顔をしてみせる。すると裕也はゆったりと微笑《ほほえ》みながらうなずいて、「かまいません」とお店の人に告げるのだ。その瞬間、あたしはすごく、誇らしくなる。ときどき思うのだけれど、裕也と出会ったのが遅くてよかった。お互いにもっと若い、いわゆる食べ盛りのころになんか出会っていたら、行くお店行くお店、出入り禁止になっていたかもしれない。

あたしたちはお金を払っておもてにでる。おもては冬の匂いで、街の匂いだ。あたしには、自分の頬《ほお》が上気していることがわかる。肌はつやつやで、口紅はもうとっくにはげ落ち、でも健康そのものの顔をしている。髪の一本一本が満足して、血液は小川みたいに健やかに全身をめぐっている。

国崎《くにさき》裕也は、あたしにとって恋人であると同時にもっとずっと親密なもの、たとえば自分の心臓とか、であるような気がする。心臓が自分の外側にあり、あまつさえ勝手に行動しているというのは不便だけれど素敵なことだ。

仕事場の人たちは、みんな裕也を「国さん」と呼ぶ。「国さん」というのは、裕也にとてもふさわしい呼び名だと思う。そこには、敬意と親しみと、それに信頼が込められている。離婚した奥さんも、出会ってから今に至るまでずっとそう呼んでいるという。あたしは彼女に会ったことはない。会ったことはないけれど、遠い、なつかしい人であるような気がする。嫉妬《しっと》がないわけじゃなく、嫉妬をも含めて。

あたしには結婚の経験はない。これからもおそらくしないと思う。仕事にやり甲斐《がい》を感じているからとか、そこそこの収入があるからでは勿論《もちろん》ない。裕也に出会うまでは、あたしも他の多くの女たちのように、いつか結婚したいとか、するのだろうとか、なんとなく望んでいたのだった。あたしがこれまでにつきあった男たちのことを、裕也は「ガキのころの友達」みたいに感じるという。「なつかしさはあるものの、いまは縁もゆかりもない連中」で、「運悪く再会でもしたら、話すことがなくて困る」ところがおなじなのだそうだ。つまり、あたしたちのいまいる場所には誰もおいつけないということ。

あたしは裕也を裕也と呼び、裕也はあたしを美代《みよ》と呼ぶ。それがあたしたちの名前だからだ。「椅子《いす》」とか「卵」とか「コーヒー」とかと一緒。あたしたちは物事を複雑にしない術《すべ》をちゃんと学んだ。

「寒いね」

あたしたちは夜の風に首をすくめ、腕をくんでくっついて歩く。それぞれの身体の内側に、暖かかったレストランの気配が灯《あか》りみたいにともっていて、どちらも身体中から幸福な食事の余韻をこぼしているのがわかる。あたしたちはくすくす笑い、でも寒いので足を速めて駅に向かう。

どちらの部屋に帰るかは、その日に食事をした場所による。ここは表参道《おもてさんどう》なので、きょうはあたしの部屋だ。あたしは青葉台《あおばだい》に、裕也は根津《ねづ》に住んでいる。泊ったりはめったにしない。あたしたちはお互いに一日働いて、夕方会って、時間をかけて食事をし、愛を交わして別れる。あるいは時間をかけて愛を交わし、食事をして別れる。食事だけで満足してしまうこともたまにはあるし、愛だけで満足してしまうこともある。でも、まあ、おなじことだ。

人生が川だとするならば、あたしたちは同じ海に向かって流れていく、二つの別々の川だ。くっつきそうにそばを流れる、でも別の川。

それを見るのは、ひさしぶりだった。金色の空翔《そらかけ》る麒麟《きりん》と、アルファベットと片仮名のロゴの入った赤い栓。

あたしたちは串揚《くしあ》げ屋のカウンターにいる。

「これ」

あたしは思わず手をのばし、店の人の抜いた栓をとって眺めた。

「なつかしいな。父が生きてたころ、このビールを飲んでたの。あたしが子供のころ、家にはこの栓も空き壜もいっぱいあった」

あたしは自分でも可笑《おか》しいくらいにはしゃいでいて、栓を握りしめたまま説明する。

「でももうずっと前から、ビールは缶ばっかりになって、勿論お店でのむときは違うけれど、でもほら、お店ではもう栓を抜いたかたちで運ばれてくるでしょう？」

裕也はおもしろそうに話を聞き、でもそれは話をおもしろがっているのではなくあたしのはしゃぎようをおもしろがっているのだ。

裕也に会うのは三日ぶりだった。

広告写真のカメラマンをしている裕也は、ときどきこんなふうに街を留守にする。

「乾杯」

あたしたちは泡の立ったつめたい液体でグラスを合わせる。

「おかえりなさい」

あたしは言い、つめたく濡《ぬ》れた唇も合わせる。店は勤め帰りの人々で賑《にぎ》わっている。古くからある店で、カウンターも椅子もテーブルも柱時計も、見惚《みと》れるくらいつややかな飴色《あめいろ》になっている。

あたしたちはすでに部屋で愛しあってからここに来た。なにしろ三日ぶりなので仕方がないのだ。裕也はあたしを荷物のように担いで寝室に運んだ。それぞれ自分で服を脱ぎ、あとは手順を無視して思うさま事を成した。効率のいい類《たぐい》の性交だったと思う。あたしたちは初めから感極まっていたし、どちらもそれを隠そうともしなかった。合間に何度も、あちこちにキスをした。外はまだ寒いのに、快適な汗を惜しみなくかいた。

湿ったシーツにならんで仰向けになり、片方ずつの手と足をからめあってぼんやり天井を見ていたら、裕也がうす暗い空間にぽっかり穴を穿《うが》つみたいな声で、

「ああ空腹だ」

と、言った。その通りだった。あたしたちは細胞の空腹がやっと満たされて、肉体的に俄然《がぜん》、断然、もうすっかり健康的に空《から》っぽな感じなのだった。

「どうしてた？」

キャベツをつまみながら裕也が訊《き》き、

「死んでた」

とあたしはこたえる。こたえた途端に、それがあまりに真実なのであたしは驚く。きのうまで、あたしは死んでいた。そして、裕也ときたら、こんなふうに死体を

甦《よみがえ》らせることができるのだ。

　あたしたちはだされた串をはじから食べる。じゃんじゃん食べる。辛子《からし》マヨネーズのついた太い立派なアスパラガスや、銀杏《ぎんなん》や豚肉や、砂肝やしいたけや、白身の魚やエビやなんかを。

　ここの串揚げは濃い油で深く揚げてあり、熱く強い味がする。箸《はし》やフォークなしで物を食べるとき、あたしはこの人の仕草の美しさに何度でも驚く。裕也は一匹の美しい動物として物を食べる。ニホンカモシカとか、テンとかヒョウとかみたいに。恰好《かっこう》いいとかワイルドとかいう意味じゃない。むしろ礼儀正しいのだ。

　あたしはあわてて目をそらす。幸福で泣きそうになるからだ。

　あたしたちは鶏肉を食べ、うずらの卵を食べじゃがいもを食べる。食べながらときどき互いの太腿《ふともも》に触れ、もうよく知っている、この世に二つとないそのものの感触をたしかめる。

「美代はいいなあ」

　裕也が言う。

「美代のいないところで物を食っていても、ちっともうまくない」

あたしは眉《まゆ》をつり上げてみせる。だったらどこにも行かなければいいのに、というしるしに。

でもそういうわけにはいかないことを、あたしたちは二人とも知っている。だって二匹の別々の動物だから。あたしたちは三本目のつめたいビールを注文し、イカを食べ挽肉《ひきにく》を食べる。この店のたれはカレー粉やニッキがブレンドされていて、複雑だけれど心安い味がする。

「もう駄目、これ以上食べられない」

あたしはついに音を上げて、お店の人にストップをかける。裕也は余裕で微笑んで、でも、

「うん。じゃあ俺《おれ》もこれで」

と静かに言う。

あたしたちは血色のいい顔を見合わせる。そして、互いにおなじことを考えているとわかる。合図みたいに裕也が腕時計を見る。

「もう一回帰る？」

あたしが言い、あたしたちは店をでて、今度は裕也の部屋に帰る。

あたしが揚げ物を苦手だったことを、一体誰が信じるだろう。塩とか、油とか、摂《と》りすぎると身体に悪いといわれているものは、なるべく摂らないようにしていた。砂糖もそうだ。甘いお菓子なんて、子供の食べ物だと思っていた。でも、裕也といるとき、あたしは思いきり甘いお菓子を、ほとんど皮膚で吸収するみたいにしっかり食べる。それらはおいしいのではない。ただ幸福なのだ。甘ければ甘いだけ、塩そのものなら塩そのものであるだけ、天然の幸福なのだ。

天然の幸福を秘めたそれらの強い食べ物が、あたしたちの身体を丈夫に美しくすることを、あたしは裕也から学んだ。無知だったなあと思う。肉体の美しさを、実例抜きで認識することはできないもの。

裕也の部屋は殺風景だ。

あたしはコートを脱ぎ、脱いだコートを椅子の背にかける。裕也の部屋の温度、そして匂い。

あたしは自分の胴体が食事の前と違う形であることを知っている。そしてそのささやかな豊かさが、裕也の目に温かく映ることを嬉《うれ》しく思う。あたしたちは膨らんだ動物同士だ。巣穴の中の熊《くま》みたいに抱きあい、いとおしくみちたりた気持ちで愛を交わすことができる。鈍重に、でも、甘やかに。

裕也があたしの髪に指を通すだけで、あたしはくすくす笑いだしてしまう。あたしが裕也の胸に鼻をこすりつけると、裕也もくすくすと笑う。裕也がせつなそうにあたしを見る。あたしは相撲とりみたいに身体ごと裕也にぶつかって、両腕に力を込めて抱きしめる。

ここは「国さん」の部屋だ。

すべてのあと、あたしはベッドにぺたりとすわり、しずまり返った部屋の中を眺めながら思う。暗く殺風景な寝室。ここには一人の独身カメラマンの生活があり、父親のしるしもある。それはたとえば青いリュックサック——息子の所持品が入っているという——であり、テレビにつながれたままのゲーム機であり、月に一度、息子が泊りに来る日のための品々だ。

あたしはあくびをし、のびをする。服を拾って身につけて、裕也のおなかにキスをする。

「またあしたね」

そう言って、部屋をでた。


裕也と出会ったばかりのころ、あたしは裕也を「国崎さん」と呼んでいた。一緒に仕事をしていたので、あたしは裕也がある日気づいて、「国さんでいいよ」と言ってくれるんじゃないかと思っていた。違う。言ってほしかった。でも裕也は言わなかったので、あたしは業を煮やし、たまたま二人きりになったときに、いきなり、

「裕也」

と呼んでみた。裕也はびっくりした顔であたしを見たけれど、やがてひっそり微笑んで、

「はい」

とこたえた。それから裕也は裕也になった。

会社でのあたしはディレクターの肩書きを持ち、でも部下に恵まれないのできりきり舞いしている。どなるとか、紙をくしゃくしゃにまるめるとか。一人暮らしの母に定期的に会いにいかなくてはならないし、ジムにも通わなくてはならない。

そして裕也の前でだけ、あたしはただの美代になる。

裕也と美代であるとき、あたしたちは何も持っていない。単純で健康で、誠実で淫《みだ》らだ。あたしたちは食事を重ね、身体を重ねる。あたしは裕也みたいな気がするし、裕也があたしみたいな気もする。

あたしは美代について、すごくいっぱい発見をした。たとえば美代という女はたくさん食べることができる。それに実にいろいろな声をだすことができる。おどろきの、嬉しさの、官能の、ため息や言葉たち。それはあたしの知らない、奇妙な一匹の動物の声だ。

あたしたちは肉を食べ、血をつくり骨をつくり筋肉をつくり皮膚をつくり、それを使って愛し合う。

あたしたちは快適に愛し合う。不埒《ふらち》な恰好で、いろいろなかたちになって。眺めたり顔を埋めたり、しゃぶったり息をこぼしたり、唇をはわせ指をはわせ、細胞にさざ波を立てる。背中にまざりたがり、肩に溶けたがる。裕也は途方もなく大きく、あたしも途方もなく大きい。世界全部が裕也とあたしの肉体になる。肉汁がしたたるみたいな裕也の肉体と、果汁がしたたるみたいなあたしの肉体と。

「こんなふうにしてどこまでいかれるかしら」

あたしは裕也に訊いてみることがある。たとえば、端だけ甘く焦げたフォアグラを分けあいながら。

「死ぬまでこんなふうに暮らせるかしら」

きょうのワインは濃く、口の中のあちこちにしっかりと触れ、かがやかしい干しぶどうの味がする。

「こんなふうに、食べることと寝ることだけをくり返して」

あたしの言葉を、裕也がクレソンでふさぐ。

「食べて」

裕也の手の中の葉っぱを、あたしはまじめに嚙《か》みちぎる。裕也の手は、日に温められた土みたいな匂いがする。

「つまらないことを考えてないで、食べて」

裕也がくり返す。あんまりやさしい声なので、あたしは泣きだしそうになる。裕也があたしの手をとって、あたしの指でフォアグラのソースをすくいとってしゃぶる。あたしは濡れた指をナプキンで拭《ぬぐ》うのが惜しくて、ほとんどあわてて口にくわえる。

あたしはもう裕也が欲しくてたまらなくなる。食事どころではなくなる。でも同時に、うんとたくさん食べられそうな気がする。うんとたくさん、もう超人的に。

「どんなに食べてもおどろかないでね」

あたしは裕也に言う。

「全部肉体になるといいな。裕也と食べるものは、全部きちんと肉体にしたい」

裕也があたしをまっすぐに見て、その目が鹿みたいに澄んでせつなげだったので、あたしには、あたしの言葉が裕也に通じたのだとわかる。

わずらわしいことは何も存在しなくなる。

あたしたちは身体全部を使って食事をする。おなじもので肉体をつくり、それをたしかめるみたいにときどき互いの身体に触れる。あたしたちはますます動物になる。あたしたちのテーブルだけ深い森になる。森の中で、寝室でたてるみたいな声をこぼす。泣きそうになり、仕方なくみつめあって笑う。

夕方から夜に色を変え、夜から夜中になっていく街の片隅で。

サマーブランケット

Summer blanket

海のそばの家には、砂がたくさん入ってくる。マリウスが砂浜を走りまわってくるせいもあるが、それよりも、しじゅう窓をあけているせいだろう。ことにいまの季節は。

昼間は、太陽の匂《にお》いがする。砂と、温められた木と、干からびたペンキの匂いもする。夜になると、潮の匂いが俄然《がぜん》生気を帯びる。水と冷えた空気と、海辺の生き物たちのつくりだす匂い。それは、ある種の果実が、熟れすぎて腐る直前に放つ匂いと似ている。

家の中で、私はいちにちじゅう、それらの匂いをかぐ。

海のそばの家に、こうまでたくさんの砂が入ってくることを、私がここを買う前に、誰か教えてくれればよかったのにと思う。思うけれど、思っても仕方のないことだ。私がこの家に暮らして、じき三年になる。

私には家族はいない。父も母も死んでしまったし、独身で、ゴールデン・レトリーバーのマリウスと、二人きりで暮らしている。マリウスは老犬で、獣医に言わせると「動脈硬化を起こしかけている」。

私には友達が二人いる。その二人とは、去年の夏に出会った。出会ったというより、彼らが、ある日突然この海辺の家に——そして私の人生に——、やってきたのだった。

まゆきちゃんはすとんとした体型の、いまふうの女の子だ。ショートパンツから伸びる長い脚に、私はしばしば見とれてしまう。大森くんは彼女のボーイフレンドで、南の島の住人かと思うほど日に灼《や》けている。二人とも、この家からバスで二十分ほどの場所にある大学の学生だ。

彼らは毎週水曜日に連れだってやってくる。そのほかの日も、気が向けばふらりと遊びに来る。いつでもいらっしゃい。私は彼らにそう言っている。

きょうは波が高い。私は昼食のあとずっと、マイケル・ギルモアの小説を読んでいた。厚くて重い、でも興味深い小説だ。私が寝そべって本を読んでいるソファの足元で、マリウスは眠っている。古めかしい木製の側卓は、ゴミ置き場から拾ってきたものだ。あんまりいいものが捨ててあったので、びっくりして拾った。

私は腕時計を見た。二時半。もうすぐ大森くんが来ることになっている。

頁《ページ》をめくろうとして、本まで砂でざらついていることに気づいた。私は自分の怠惰に笑ってしまう。実際、ここに越してから私は滅多に掃除をしない。窓枠や床ばかりか、バスタブの中もシーツもざらついている。それで私は欧米人のように、家の中でも靴をはいて暮らすようになった。慣れてしまえば、むしろその方が性に合っていた。靴を脱ぐ、というのはひどく無防備になる行為だ。

「掃除、しましょうか？」

まゆきちゃんはときどきそう言ってくれる。そのたびに私は、大げさに手と頭を両方ふって断る。いいのいいの、そのうちするから、と。

まゆきちゃんはのんびりした、やさしい子だ。東京の子で、いまは大学のそばの「コーポ」というところに、一人で住んでいるという。大森くんは地元の子で、ここからそう遠くない場所にある家に、両親と住んでいる。

一度、まゆきちゃんが高校時代の友達を数人連れて、大森くん抜きで遊びに来たことがある。花火をたくさん持ってきていて、道子さんも一緒にしましょう、と言った。私たちは海辺でそれをした。友達の中の一人を、まゆきちゃんは「元彼」だと言った。その「元彼」は大柄で色の白い、育ちのよさそうな子だったけれど、なんとなくふにゃっとした印象だった。私は心の中でまゆきちゃんに、大森くんのがいいわね、と、言った。まゆきちゃんは彼らに、

「道子さんはお嬢さんなの」

と説明した。

「いまどきいないような、本物のお嬢さんなの」

と。

たしかに、私の両親は裕福だった。それで私は、家政婦も運転手もいる家庭で育った。大学を卒業して就職したが、両親が死ぬと遺産が残り、私は二十年勤めた会社を辞めて、海辺に家を買って引越した。でも、と、あのとき私は不思議な気持ちがしたものだ。でも、「お嬢さん」でいるというのがどういうものか、まゆきちゃんにはきっと決してわかってもらえないだろう。

そして、そういうとき、私はまゆきちゃんに対し、恨みがましい気持ちを抱いてしまうのに気づく。いわれのない、でも見まがいようのない、恨みがましさ。私は恥入り、動揺する。

むし暑い午後だ。私は本を閉じ、台所——狭いが風が通るので、居間よりはすこし涼しい——にいって、アイスティをつくる。

二十六歳から三十九歳までの年月、私は、上司であり父の友人でもあった男性と不倫関係にあった。彼は素晴らしい男性で、私は彼を、心から愛した。そのことは、でも、もう思い出さないようにしている。彼は妻の元に戻った。つまりそういうことだ。

私は、彼の写真を一枚、この家に飾っている。未練というのではなく、なんというか、私の人生の彩りのために。

ここでの生活は、単調だけれど満足のいくものだ。私には、これから一生かかっても読みきれないだろうほどの、かつて読んだ本がある。レコードも二百枚ほど持っている。

　私が四十二歳のときに父が死に、その翌年に母が死んだ。あれこれ処分すると、遺産はかなりな金額になった。私の名義になっている不動産などもあり、それも一緒に売ってもらった。それらの整理や父の会社の様々な手続き――私はいまも役員の一人になっている。名前だけのことだ――がすむと、私は軽い鬱病《うつびょう》になった。薬がなければ眠れなくなり、死ぬことばかり考えた。思いつめるというのではなく、ふいに、ぱっくりとその考えが口をあけ、そこにぐらりと傾くのだ。

　恋人を失ったときには罹《かか》らなかった鬱病などという病気に、両親を失ったときに罹ったという事実は、私をまったく打ちのめした。

　オプタリドン、ハイミナール、そして、青い小さなハルシオンの粒たち。私にとって薬はもっとも親《ちか》しいものになった。

　ただし副作用も強く、私はしばしば昏倒《こんとう》した。でも構わなかった。痛くはなかったし、あちこちに痣《あざ》をつくったが、私の身体《からだ》に関心を持つ人など、この世に一人もいないことがわかっていた。

　いまでもときどき指の先が白くなり、痺《しび》れて動かなくなる。チック症状がでることもある。でも、ここに引越して一年もすると、私は薬をのまなくなっていた。マリウスが死んだら、と考えることがある。マリウスが死んだら、私を地上につなぎとめるものは何もなくなる。

大森くんは、三時すぎに自転車でやってきた。Tシャツに短パンという恰好《かっこう》で、腕や額に汗をかいて。

「こんちはー」

あかるい声で言い、玄関ではなく庭から入ってきた。

「ごくろうさま。わざわざごめんなさい」

私は言い、ドッグフードを受け取った。それから台所に戻り、大森くんにアイスティをだす。

私の家には、あまりいろいろな種類の飲み物がない。それで大森くんにもまゆきちゃんにも、いつも紅茶をだす。さいわい、二人とも私の紅茶を気に入ってくれている。ことにまゆきちゃんは気に入ってくれていて、どうやって作るのかと尋ねられた。ブランデーシュガーを使っていると説明すると、彼らは二人とも、ブランデーシュガーを知らないと言った。私はそのとき、自分が過去の遺物であるような気がした。

「暑いー。夏みたいだな」

大森くんは言い、Tシャツの裾《すそ》をめくりあげて顔をぬぐった。やせていて臍《へそ》のまるい、日に灼けた腹があらわになった。

「夏よ、もう」

二人がこの家にやってくるようになってから、もうじき一年になるのだ。

毎週一度、水曜日に買物に行くことにしていた。海岸ぞいに二十分歩くとバス停があり、そこからバスに十五分乗れば、町につく。比較的大きな町で、必要なものはたいてい手に入る。

その日、家をでるとポーチにまゆきちゃんが足をなげだしてすわっていた。そばに大森くんがいて、海に遊びに来て貧血をおこしたのだと説明した。私の家の玄関が、いちばん近い日陰だったのだ、と。まゆきちゃんは、どういうわけか膝《ひざ》にタオルハンカチをひろげていて、大丈夫、と言った。もうなおるから大丈夫、と。私は二人を居間に通した。まゆきちゃんをソファにすわらせて休ませ、氷水をコップに入れて手渡した。

その日、大森くんはまゆきちゃんを送っていくついでに、私を町まで車に乗せてくれた。このあたりの海は子供の時分から遊び場だったし、まゆきちゃんともよく来るのだと言った。私がいつも海岸ぞいに二十分歩いてバス停にいき、バスで買物に行くと話すと同情してくれた。しょっちゅう来るから、週に一度くらいなら送りますよ、と言い、私は、人の好意に甘えるのは好きじゃないの、とこたえた。大森くんは眉《まゆ》を持ち上げて不思議そうな顔をつくったあとで微笑《ほほえ》んで、それ以上何も言わなかった。

ところが翌週の水曜日、まるで約束をしていたみたいにあたりまえの顔で、こんちは、と言って二人連れだってやってきた。結局、そういうことになった。壜《びん》入りのバルサミコ酢やドッグフードを、荷物の重さを考えずに買えるのは実際ありがたいことだった。

彼らは若くて、きれいなカップルだ。とても仲がいい。部屋から部屋へ移動するのに、ごく自然に手をつなぐ。それは微笑ましい光景だ。

彼らはそうやって連れだって、興味深そうに私の部屋を眺める。私の部屋を、そして人生を。

「御主人ですか？」

私を捨てて家庭に帰ってしまった男の写真をみて、あるときまゆきちゃんが尋ねた。

「ええ」

私は、愛に満ちた家庭を築いてきた女みたいにこたえた。

「先に死んでしまったの。歳《とし》が随分離れてたから」

その嘘《うそ》は、何の罪悪感もひき起こさなかった。言った途端に、ほんとうのことのように思えた。

まゆきちゃんは犬が好きだ。

「マリウスと遊んでもいいですか？」

そう言って、大森くんと砂浜にでていくこともあった。海で泳いだあと、彼らは

濡《ぬ》れたままの身体でやってきて、

「シャワー借りてもいいですか」

と、訊《き》いたりもする。それはたしかに、私の考えでは厚かましいふるまいなのだが、その厚かましさはなにか輝かしい、胸のすくような厚かましさだった。泳いだあと、彼らの頰《ほお》は上気していて、まるでセックスのあとのようにみちたりてみえる。

彼ら二人は、私がいままでの人生で、一度も出会ったことのない種類の若者に思える。あるいはいっそ——奇妙なことだが——私は、いままでの人生で出会った若者をすべて忘れてしまったと思える。

水曜日の買物について、せめてアルバイトということにして欲しい、と私が提案すると、二人はその場で相談し、じゃあそうさせてもらいます、と、こたえた。

「ごちそうさまでした」

アイスティのグラスをテーブルに戻して、大森くんが言った。

「ちゃりで来たからすごく喉《のど》かわいてた」

うすいTシャツが汗で背中にはりついている。背骨のかたちが見えるような気がした。

「オレンジ、よかったら持って帰って」

砂ぼこりだらけのテーブルに、オレンジが三つ、ころがっていた。

「これ、何ですか？」

たたんだまま床にどさりと置いてある紺色の物体をみて、大森くんが訊いた。

「ああそれ、サマーブランケット」

私はこたえ、首をすくめた。そんなものを買ってしまったことを恥じている、そういうつもりの仕草だった。

「ここに引越すとき、新しいものは何も買わなかったのに、それだけ衝動買いしてしまったの。なんだか、海辺の家に似合う気がして」

言い訳のようにそう説明した。

それは、紺色の太い木綿糸で編まれた、ずっしりと持ち重りのするブランケットだった。キングサイズなので、困るほど大きい。

「でも使いみちがないの」

私は言い、ばかみたいねとつけたした。

「何のためのものかしら。全然実用的じゃないの」

編み目があらく、それ自体が非常に重いので、ベッドやソファの覆いにすると、だらんとのびてしまってだらしがない。身体にかけるには大きすぎるし、重すぎる。編み目のすきまが大きいので、空気も砂も通してしまう。一人でたたむのさえままならないのだ。

大森くんは私の話を最後まできくと、やせた頰をくぼませて笑った。

「使いましょうか」

たのしそうな口調で言う。

「これ、全然使えますよ」

大森くんはその大きな濃紺のかたまりを両腕で抱え、先に立って玄関から外にでた。

海は凪《な》いでいた。

まったく信じ難いことだが、私は家から十分ほどの場所で、大森くんと一緒にサマーブランケットにくるまっている。まったく信じ難いことだが、灰色の砂はかわいていてあたたかく、ブランケットも、木綿とは思えないほどあたたかい。それに大森くんの体温ときたら――。

そろそろ夕方だというのに、太陽はまだ白くあかるい。

「こうやって、おもてで使えばいいんですよ、きっと」

大森くんは実に無造作に、砂に直接それをひろげた。

「でけえ」

感心したようにつぶやいて横になり、私にも横になるよう促した。私はすでに動揺していた。こんなことは困る、と思ったし、表情も動作も、戸惑うというよりこわばっていただろう。大森くんのゴム草履が、砂にすこし埋もれてころがっている。

「道子さんも早く」

さらに促され、私はしぶしぶ靴を脱いだ。

横になると、大森くんは私の上にかぶさるようにしてブランケットの端を持ち、二つ折りにして、二人でくるまれるようにした。

「これ、でかいからいいですよ。こんなふうにできるもん。衝動買いして正解です」

私はじっとしていた。息さえもつめていた。うつぶせの姿勢で、海ではなく砂をみていた。砂と紺色の毛布を。

右腕が、大森くんの左腕に触れていた。

「砂の匂い」

私が言うと、大森くんは理解できない顔をした。でも、私にはこのとき、砂にも匂いのあることがはっきりとわかった。

「まぶしいのね」

マリウスが水際を歩いているのがみえた。私は目をとじ、なぜだか居間の写真の男のことを思った。私の知っている唯一の男のことを。腕の太い男だった。頭のいい、しずかな話し方をする――。私を抱いているとき、しばしば心からの口調で、いま死ねたらなあ、と言ってくれた。

あのころ、両親は私に散々見合いをさせたが、骨折り損だった。私には、彼以外の男など考えられなかった。それはいまでも変っていない。というより、時間がたつにつれ、その思いは強くなっている。

みずみずしく鮮烈な香りがして、横をみると大森くんがオレンジをむいていた。皮から霧のように果汁がとぶ。爪《つめ》も指も、したたる汁にだらだらと濡れ、私は大森くんの手に見とれた。なんてきれいな指だろう。

ふいに、速い動作で大森くんが両手をのばした。ブランケットが濡れないように、砂の上でむいているのだった。

「かまわないから毛布の上でむいて。敷物だもの」

私は言った。

「そのためのものでしょう?」

大森くんは私をみる。傾き始めた日ざしに、まぶしそうに目をほそめた。

オレンジはぬるく、甘かった。私たちは両手をべたべたにしてそれを食べた。

「うらやましいですよ」

大森くんがぼそっと言った。

「道子さんまだ若いのに、悠々自適で、自由で」

自由。

私は微笑み、何も言わなかった。

「まゆきもすげえうらやましがってる。あたしもあんなお嬢さんに生まれたかった、って」

海辺の家は、私そのものみたいだ。窓も戸もあけっぱなしで、砂だらけで、ただじっと建っている。壊れるときまで、何年も何年も。

ふいに耐えがたい思いにかられ、私は立ちあがり、服をはたいた。いそいで靴をはく。

「もう行きましょう」

あたりにはオレンジの香りが残っていて、私たちは二人とも、そのおなじ汁で手や顔をべたべたにしている。

大森くんの体温に、もう一度触れたい強い欲望にかられた。風が髪をばさばさせて吹きすぎていく。私は腕時計をみないように気をつけた。空はもう青くないが、まだ十分にあかるい。ここにきて、たいして時間はたっていないだろう。その短さを、知りたくはなかった。

毛布はあいかわらず重く、編み目がのびてたるむので扱いづらかった。私たちは両側からそれを持ち、おおざっぱにたたんだ。

「マリウース！」

大森くんが呼び、私たちは砂浜を歩いた。砂だらけの、海辺の家にむかって。

りんご追分

Ringo oiwake

はじめて見るお客さんだった。瘦《や》せていて顔色の悪い、青年なんだか中年なんだかわからない感じの男のひとだった。

金曜日の夜で、店は混《こ》んでいた。美樹《みき》も来ていた。美樹は男たらしなので男たらしらしく、長い髪をかきあげたり、煙草《タバコ》をくわえて隣の男に火をつけてもらったり、かと思えばいかにも無邪気に、音楽に合わせて身体《からだ》を揺すったりしていた。

あたしはカウンターの内側で、氷を割ったりライムを切ったり、お酒をつくったり灰皿を洗ったりしていた。十一月。おもては寒いのに、店の中は暖房と熱気で息苦しいほどだった。

『ねじ』で働き始めて一年になる。あたしは自分の職場であるこの店が気に入っている。あたし自身の人生は妙なことになっているけれど、ここに来れば気が晴れる。

『ねじ』はいつもにぎやかだ。みんなが酔っ払う。そしてみんな帰っていく。それぞれの場所に。

あたしはコロナにライムをしぼってちびちびのんでいる。店長である勲《いさお》さんも、水割りをのみながら仕事をしている。ここはそういう場所なのだ。

はじめ、そこには中年の女のひとが座っていた。ときどき見る、化粧の濃い、ぜんぜんきれいじゃない女。彼女が、携帯電話でその男を呼びだしたのだった。

「どこにいるのよ。西麻布《にしあざぶ》だってば。だからそこから渋谷《しぶや》方面に……」

音楽に負けじと声をはりあげるので、彼女の言葉はまわりじゅうに聞こえた。

「だからタクシーに乗りなさいってば」

電話口で、彼女は店の場所を説明しているようだった。ものすごく感じの悪い言い方で。

「なにさま？」

カウンターごしに、美樹があたしにささやいたくらいだ。

「さっちゃん、ブラディメリー」

勲さんに言われ、あたしは冷蔵庫からトマトジュースの缶をとりだす。

智也《ともや》は何をしてるだろう、と考えた。一人で、あの狭いアパートで。

別れちゃえばいいじゃん、結婚してるわけでもないんだし。美樹はときどきそう言うけれど、あたしは自分が智也と別れたいのかどうか、どう考えてもよくわからないのだ。わからないということは、別れたくないということじゃないかしら。なんとなく、そう思える。智也をあんなふうにしちゃったのはあたしなんだし。

結婚する前に同棲《どうせい》してみた方がいい、とかよくいうけれど、あたしはそれは、嘘《うそ》だと思う。だっておんなじことだもの。あたしと智也なんて、結婚もしてないのにもう老夫婦みたいに仲良く暮らしている。

十年。それは一人の男と結婚もせずに暮らすには、たぶん長すぎた時間だ。

高校を卒業して通った被服の専門学校で、あたしは智也と出会った。智也は小柄でやさしい、おしゃれな男の子だった。学校を出ると、あたしたちはどちらも複数のアルバイトをしながら一緒に暮らし始めた。いま思うと、夢みたいにたのしかった。

やがて、智也はパッケージデザインの会社に就職した。そしてたった二カ月で辞めてしまった。そのうち仕事をみつけるから。はじめはそんなふうに言っていたけれど、それもいつのまにか言わなくなった。あたしは夜も働くことにした。あたしが責めると智也はあやまる。するとあたしはかなしくなり、智也もかなしそうになり、あたしは智也を責めたことを後悔する。

智也はもうおしゃれではなくなった。あたしたちはセックスもしない。でも毎晩――あたしが帰るのは朝だけど、それから昼ちかくまで――一つのベッドで眠って起きる。お休みの日には一緒に買物にいき、手をつないで歩いたりもする。

「勲さんと寝てるの？」

一度、智也にそう訊《き》かれたことがある。いつものように日曜の朝寝をして、お昼ごろ起きて一緒にコーヒーをのんでいるときで、智也より遅く起きたあたしは、まだシャワーも浴びていなかった。

「まさか」

あたしは言下に否定した。勲さんはあたしのタイプではない。寝て起きたままの

Tシャツとスウェットパンツは不快な感じに肌になじみ、のびすぎた前髪が顔にかかってうっとうしかった。

智也はあたしと目を合わせずに、そう、とだけこたえた。あたしのこたえを信じていないのがわかった。

「そう、だけなの？」

寝起きはいつも声が嗄《か》れているので、あたしの「まさか」も、「そう、だけなの？」も、なんだかぶっきらぼうに響いた。

「どうして黙っちゃうのよ」

つい声が大きくなって、今度はあたしの方も黙った。智也に対して声を荒げると、あたしはきまって打ちのめされるのだ。だって、それはまるでがみがみ女房みたいじゃなく、がみがみ亭主みたいだから。

あたしの声は、智也が働かないことを責めているみたいに響く。

もうコーヒーなんかのめなかったので、あたしはお風呂場《ふろば》にいってシャワーを浴びた。智也が洗濯機をまわす音がきこえ、シャワーを浴びながら、あたしは泣いた。

普段、智也が一日中何をしているのか、あたしにはわからない。外から電話をかけると、ちゃんとでる。ヘッドフォンをして音楽を聴いていても、「電話のランプがつくからわかる」のだそうだ。

あたしには、物事がもうよくわからなくなっている。もともと、あまり頭のいい方じゃないのだ。

ただわかっているのは、これが二人でつくってしまった生活だということと、もしいま智也がいなくなったら泣くだろうということだけだ。

"AS TEARS GO BY" またローリング・ストーンズだ。勲さんは、今夜はローリング・ストーンズばかりかける。きっと機嫌がいいのだ。美樹は隣の男性客に顔を寄せ、何かささやき合って笑っている。グラスにはシーバース・リーガル。まるでオヤジだ。

あたしと美樹は高校時代からのつきあいだ。いっしょにたくさん遊んだ。いまはもう街にいなくなったタイプの不良だったので、わるさもいっぱいした。不純異性交遊とか。でも、他愛《たわい》もないことばかりだった。明け方までファミレスで喋《しゃべ》るとか、男の子のバイクのうしろに乗るとか、ディスコの黒服と仲良くなって、お金を払わずに中に入るとか。四人でベッドに入ることもあったが、なんとかそれらしくふるまうのに精一杯で、たいしたことはできなかった。自分で言うのもへんだけれど、あたしも美樹も、すごくいい子だったと思う。そして、子供だった。

美樹は十七のときに妊娠し、退学して結婚し、子供を産んだ。美樹には、だからいま十三歳の息子がいる。その後いろいろあって離婚して、美樹の言うところの「保険のおばさん」になった。それが彼女の性格に「おあつらえむき」で、けっこうな出世をしたらしい。もっとも、「後進の指導にあたってくれとか言っちゃって、三十一にして第一線をはずされちゃったわよ」と、本人はむくれているのだけれど。

電話の相手はなかなかやって来なかった。中年の女は苛立《いらだ》たしげに煙草を吸い、カンパリオレンジをのんでいる。携帯電話がたびたび鳴り、そのたびに相手は道を尋ねているようだった。余程の方向オンチか、実際には来る気などないかのどちらかだ。何度目かの電話で、彼女はほとんどどなり散らした。

「なんでそうぐずなの？　人の話を聞きなさいよ。じゃあなんでそんなわかんないところでタクシーを降りたの？　あんたいっつもそうじゃないの」

あたしと美樹は目配せをしあった。こんなふうにののしられて呼びだされ、のこのこやって来る奴《やつ》の顔が見たいと思っていた。

カウンターだけの小さな店なので、ここにいると全部のお客さんの、仕草や表情がおかしいほど見える。「このアルバムのプロデューサー、自殺しちゃったんだよね」とか、「この曲、バックコーラスにボズ・スキャッグスが入ってんだよ」とか、連れの若造に蘊蓄《うんちく》を披露しているオヤジとか、酔ったふりで、弦をおさえるまねをするオヤジとか。『ねじ』の常連客は、若くない男性ばかりだ。

「ここにいると寛《くつろ》ぐでしょ」

あたしは美樹に言ってみる。美樹は少しだけ笑い、煙草の煙をはきだすと、

「でも私はそのへんのオヤジより、ゴルフ上手《うま》いよ」

と、言った。あたしは笑ってうなずく。でもまじめな話、あたしも美樹も、おばさんになりそびれてしまった、と、あたしは思う。どういうわけか。

「だから、もし隼人《はやと》くんが子供をつくったら、美樹はおばあさんじゃなくておじいさんになるんだと思うよ」

遺伝的に言えば、私、もうすぐグランマよ、というのが最近の美樹の口癖で、それは自分が十七で子供なんか産んだから、自分の息子がもしおなじことをしたら、自分は三十四でおばあちゃんになる、というのだ。美樹と美樹の両親がたっぷり甘やかしているせいか、隼人くんは見事な箱入り息子に育っていて、いまのところそんなことをしそうにはないのだけれど。

「やめてよ」

美樹はまた笑った。

"HONKY TONK WOMEN" またローリング・ストーンズだ。勲さん、今夜はどうかしちゃったのかな。窓の外には、高速道路と駐車場が見える。美樹は盛大に頭を上下に動かしてリズムをとっている。両手を軽く上にあげ、いまにも踊りだしそうな勢いだ。

午前一時。隅にいた四人組が帰ったところで、店はすこしすいている。

『ねじ』の営業時間は午後八時から翌朝の四時で、一晩にたいてい二度、混雑のピークがある。一度目は十一時前後で、二度目は二時から三時のあいだ。後の方のお客さんは、業界っぽい人が多い。業界っぽい人々も、でもやることは同じだ。もうかなり酔っ払っていて、連れの女の子とふざけるか、ギターを弾くまねをしながら、イクときみたいなへんな顔をするか。壁にならべてあるレコードジャケットについて、あてにならない知識をひけらかすか。

『ねじ』で働くようになってまだ一年なのに、あたしはここが自分の家みたいな気のするときがある。夜中に、何時間も何時間もここでこうしていると、あたしと勲さんと、週に二、三度顔をだす美樹と、他のいろんな常連さんが実際の家族であるように思える。みんなそれぞれ店の外に家族や仕事や生活を持っているのだけれど、それは全部嘘みたいな気がする。智也も。美樹の息子も。

赤い豆電球があちこちに灯《とも》された暗い店内と、人々の話し声とポップコーンの匂《にお》いと、音楽とお酒と。

中年の女が業を煮やした顔ででていったとき、あたしはてっきり電話の相手を迎えにいったんだと思った。入れ代わりに痩せていて顔色の悪い、みたことのない男性客が入ってきたときは、だからそれがあの女の電話の相手だとは思わなかった。

すごくみじめな様子をしていた。くたびれたベージュのジャンパーを着て、不精ヒゲをはやしていた。

男は入口につっ立って、店の中を見渡した。勲さんが気づいて、「あ」という申し訳なさそうな声と共に、さっきまで女の座っていたスツールを手で示した。

「帰られましたよ、ついいまさっき」

あたしが片づけなかったので、灰皿もカンパリオレンジのグラスも、まだそこにあった。

男はさらにしばらくつっ立っていたが、やがて女の座っていたそのスツールに腰掛けた。

「ビール」

と言う。

「銘柄は?」

勲さんが訊くと、男は背中をまるめて、

「なんでもいいです」

と、こたえた。

空いたグラスをさげようとして、それに気づいた。あの女の携帯電話。プッシュボタン部分が二つ折りになった、シルバーピンクの電話だった。

「あ、でも電話があるから、戻ってらっしゃるんじゃないですか？」

あたしは男にというより、勲さんに言った。勲さんは関心がないようで、

「でもお会計はしてっちゃったからなあ」

と、言った。

「じゃあ、渡しときます」

男は私に片手をだして言い、ビーズ飾りのついたシルバーピンクの携帯電話を、ジャンパーのポケットにすべり込ませた。男は声も表情も暗く、不穏だった。雨も降っていないのに、雨の匂いがするようだった。

いきなりあたしはどきどきした。男が『ねじ』に来る他のお客さんとは全然ちが

う空気を発散していたから。

でも、それからすぐ店が混んだ。『ねじ』のカウンターには九つしか席がないのに、四人連れと七人連れのお客が入った。余った人たちはスツールのうしろに立ってお酒をのんだ。店の中には話し声というより喧騒《けんそう》が充満し、勲さんはローリング・ストーンズをやめてディープ・パープルや奇妙な邦楽を、普通ならたじろぐようなヴォリウムで、次々にかけていく。

あたしはその夜、もう智也のことを思いださなかった。かわりにあの男をちらちらと見た。あの男といまここを抜けだして、どこかへ行きたいと思った。

勿論《もちろん》、現実にはそんなことはおこらない。おこらないからいいじゃないか、と、思った。あの男に抱かれるところを想像したり、あの男を丁寧に愛撫《あいぶ》して、うめき声をたてさせてなお待たせて、たのむから来てくれと懇願されるところを想像したりしてもいいじゃないか。

あたしはジン・トニックをつくり、ラム・コークをつくり、カナディアンクラブのオンザロックをつくった。氷を割り、おしぼりを渡し、ポップコーンを器に移した。そうしながら男の指や耳や、髪や胸を観察した。男はたいていうつむいており、ビールをのみ、煙草を吸い、ときどきポケットから女の携帯電話をとりだして、片手でふたを開けたり閉めたりした。

三時すぎに、美樹が帰った。隣の男性客が名残り惜しそうに、「帰っちゃうの？」と声をかけたが、美樹は気にしなかった。

「また来るね」

さすがにもう化粧がくずれていたけれどきれいな笑顔で言い、グレイのコートを着ると、衿《えり》から長い髪をばさりとだした。

「気をつけてね」

あたしは言い、かつての不良娘——現「保険のおばさん」——を見送った。

それからあの男が帰った。お金はあたしが受けとった。ありがとうございました、と言ったあと、お気をつけて、と言おうか、また来てくださいね、と言おうか迷った。迷ったけど、結局あたしは、

「おやすみなさい」

と言った。男は今夜はじめてあたしの顔をまともに見て、一瞬だけひっそりわらい、

「おやすみなさい」

とこたえた。そして、でていった。

最後のお客さんが帰ったのは四時二十分だった。あたしも勲さんも、くたくただった。グラスだけ洗うと、勲さんはいつもあたしを先に帰してくれる。

サーファー歴三十年の勲さんは年中日に灼《や》けていて、それを際立たせるみたいに白いシャツばかり着ている。左手首には、細い白い革のブレスレットをまいている。笑うと頰《ほお》にたてじわが入るのがちょっと渋いし、髪がながめなので一見しゃらくさいが、でもたぶん、あたしがいままでに出会った誰よりも真面目《まじめ》なひとだ。妻一人と猫一匹を扶養している。

「お疲れさまでした」

帽子をかぶり、コートを着てあたしが言ったとき、勲さんはスツールをさかさまにしてカウンターにあげていた。蛍光灯のしらじらとしたあかりの下で。

「お疲れさん」

気の抜けた声だ。

夜明けは、飲食店の並ぶ、高速道路ぎわのこんな道さえ清潔な匂いにする。空の分量が夜よりも多くみえる。

がらがらにすいた電車の中で、あたしはすこし居眠りをした。

電車をおりると、街はもう新しい一日になっている。空気はどこもかしこもうす青く、コンビニの前には商品を積んだ小型トラックが停《と》まっている。アパートまでは、大きな公園をぬけて二十分歩かなくてはならない。ようやく黄色くなった銀杏《いちょう》並木《なみき》や、枯木ばかりの生えた一角や、無人のグラウンドなどのある公園だ。濡《ぬ》れたみたいなつめたい空気と、みすぼらしく枯れた芝生、シャッターのおりた売店。歩きながら、あたしは何も考えていなかった。からっぽだった。そしてたぶん、無防備だった。

グラウンドの角をまがったとき、いきなり音が破裂した。トランペットだった。

あたり一面全部の空気をふるわせて、力強い音が流れた。おそろしくゆっくりの、暴力的なまでに巧みな、「りんご追分」だった。音は空に向かって破裂するようにも、地面にしずかにおりていくようにも思えた。あたしは動けなかった。どうしてだかわからない。あたしの心臓が泣き始めた。号泣、と言ってもいいような泣き方だった。「りんご追分」がしみて、早朝の公園で誰かが練習しているその「りんご追分」に、あたしは全身で捕まってしまった。

それは現実の音だった。

『ねじ』も勲さんも美樹もあの男も、架空のことみたいに遠かった。あたしの過去も記憶も智也とのたのしかった日々も、もうこの世のどこにもないものだった。

そこにあるのはただ公園と、朝と、「りんご追分」だけだった。清潔な空気と、それをふるわせるトランペットの音だけだった。

あたしの心臓は架空のもののために泣いていた。架空のものたちと、現実の智也と、現実のあたしのために。

あたしはアパートで寝ているはずの智也を思った。「おやすみなさい」と言ったた男の笑顔を思い、その男に抱かれることを夢想したあたしを思った。そうしながら早朝の公園につっ立って、いつまでも続く「りんご追分」を聴いていた。

うしなう

Missing

「仙台に住んでたときはよかったのよ」

プラスティックの硬い椅子《いす》の上で脚を組み替えて、山岸静子《やまぎししずこ》が言った。

「それはもう何度も聞いたわよ。いい加減に現実を受け入れないと」

やや腰をかがめ、温風を指にあてながら、新村由起子《にいむらゆきこ》が苦言を呈す。片手に黄色い革のリスタイなんかはめ、ちょっとしたプロボウラー気取りだ。

「圭子《けいこ》にもいい友達がいたし、山岸の職場もね、働きやすかったらしいのよ。そういうことってほら、家庭内の空気に影響するじゃない？」

新村由起子はもうレーンにでてしまっていたので、仕方なく私が返事をする。

「そうねえ」

と。

毎月第二水曜日の午後に、私たちはエビス・ボウルでボウリングをする。私と新村由起子と山岸静子、それに堤《つつみ》文枝《ふみえ》の四人でだ。

「いま圭子ちゃんにお友達がいなくて、御主人の職場が働きにくい職場だっていう意味なの？　それ」

私が訊《き》くと、スコアラー席にすわっていた堤文枝がふきだした。

「訊きにくいことを訊くのね、持田《もちだ》さんはいつも」

「だってそういうことになるでしょ？」

堤文枝は必ずスコアラー席にすわる。スコアなんて機械が自動的につけてくれるのに。

四人の中でいちばん重い球を使う新村由起子が、がらがらと鈍い音をたてて、それでも九本のピンを倒した。

「ナイス！」

山岸静子は頓狂《とんきょう》な声をあげ、拍手をした。

私たちは押し花教室で出会った。教室の帰りにケーキを食べてお茶をのんだり、カラオケをしたり、ボウリングをしたりするようになり、互いの家に招いたり招かれたり、旅行にでるときに犬（堤家）や植物（新村家）を預けたり預かったりする関係になった。新村由起子以外の三人は、三人ともすでに押し花教室をやめてしまったが、月に一度のボウリングには、こうして集まっているのだった。

私の夫は、堤文枝を「陰気」だと言って嫌っている。山岸静子は「若づくりしすぎ」だそうだが嫌ってはおらず、「元気なお母さん」の新村由起子――彼女には、実際子供が三人いる――には、好感を持っているらしい。それを思うと、彼女たちのそれぞれの夫に、私がどう思われているかは考えるのもおそろしい。

私自身について言えば、私はこの人たちといると、物事がどうでもよくなるところが気に入っている。

これは誰にも言ったことがないのだが、私は自分がもう夫に愛されていないと感じる。そして私自身ももう夫を愛していないのではないかと率直なところ思う。私たちは結婚して九年になり、なにもかもまあ上手《うま》くいっている。たぶんどちらもいまの生活に満足しているのだ。

私の夫は玄関マットのリース会社で営業をしている。私は学生時代に喫茶店でアルバイトをしていて夫と出会った。その店のマットも夫の会社のものだったから。

夫の誘い方は不器用で温かだった。その年最初の苺《いちご》をみつけたと言って買って届けてくれたし、わざわざ映画の指定席券をとって誘ってくれたりした。

私はたしかに恋におちたのだと思う。

私のボウリングについて、夫は半ばあきれた口調で、

「お前がやりたいならまあやればいいけどね」

と言う。

「お前にも社交が必要なんだろうから」

と。

社交、という言葉は、私にはでも全然ピンとこない。

私は思うのだけれど、私たち四人はたぶん互いに互いをあまり好きじゃないのだ。

それでもこうして集まってしまう。

「仙台に戻して下さいって、会社にお願いすることはできないの？」

煙草《タバコ》に火をつけて、私は訊いた。四人のうち、私と山岸静子の二人だけが煙草を吸う。

「できるわけないじゃない。持田さんも世間知らずねえ」
世間知らず、は山岸静子の得意の言いまわしだ。結婚以来御主人の転勤について
あちこちを転々とした彼女は、たしかに私たちには想像もつかない世間――それが
世間だとすれば――を知っている。
彼女の話してくれる「社宅話」は、なかでも私たちみんなの気に入りの話だ。朝
の芝刈りにでてこなかった奥さんを、一ヵ月無視するように社宅中に指示した部長
夫人の話とか、手作りケーキの品評会と化す紅茶の会に、ホットケーキを焼いてき
て叱《しか》られた若い奥さんの話とか、高価な服や鞄《かばん》を持っていることで陰口をたたかれ
続け、ついにノイローゼになってしまった元スチュワーデスの、「初めはばりばり
だった」奥さんの話とか。
山岸静子自身も、庭掃除の班長さんの日に寝坊して遅刻をし、あとから社宅中に
最中《もなか》を配っておわびしたことがあるそうだ。
あきれた、とか、おそろしい、とか言いながら、私たちは何度でもそういう話を
聞いてくすくすと笑い合う。いやだ、とか、冗談じゃないわね、とか言いながら、

自分たちのいまいる場所がそういう世界から遠いことを確認し合う。

でもほんとうに遠いのかしら、と考えるような危険なまねは、誰もしない。

「持田さんよ」

促され、私は煙草を灰皿に置いて立ち上がる。球だまりからピンクのボールを持ち上げてかまえる。

おもしろいのは私たちが四人とも、違う重さの球を選ぶことだ。年恰好《としかっこう》も背恰好も、似たりよったりの四人なのに、ちょうどいい球はそれぞれ違う。私たちがいまこうしているあいだに働いている、それぞれの夫がみんな違うみたいに。

レーンの前に立つと、自分の前に道ができるような気がする。それは一本道で、つるつるに磨きたてられており、つきあたりには白いピンが整然とならんで待っていてくれる。そこでは誰も私の邪魔をしない。よそのレーンで球のころがるくぐもって鈍い音や、勢いよくピンの跳ぶかん高い音がしているが、それらは私の目の前の、照明に照らされたレーンの圧倒的なしずけさにすいこまれてしまう。

私は球に左手を添え、小さく息をすって目の前の道に意識を集中する。一、二、

三、四、五歩。最後はすこし小走りのようになる。

ピンクの球はレーンのまんなかをゆっくりと進み、一番ピンにぶつかって、球がというより倒れたピンが、ドミノ倒し的にばらばらとたくさんの——最終的には全ての——ピンを倒した。

「出たっ！　持田ショット」

うしろで山岸静子が声を上げ、ついで新村由起子が、

「あれ不思議よね、全然パワーないのにねえ」

と言うのが聞こえた。私はにっこりする。たまにはこういうこともあるのだ。

灰皿のある場所に戻ると、山岸静子が両手のひらを差し出したので、私はそこにぺたりと両手をあてた。

「でね、山岸の実家が石巻《いしのまき》にあるから、仙台だと近くてよかったのよ。まあわずらわしいこともあるにはあるんだけど。山岸の妹が二度目の離婚をしてね、お義母《かあ》さん参っちゃってるのよ」

「かわいそうに」

私は心から言った。かわいそうなお義母さん。あなたの人生って大変なのねえ、というつぎのひとことは、勿論《もちろん》口にださなかったけれど。

実際、山岸静子は立派だと思う。私とは家が近いのだけれど、ＰＴＡパトロール、と書かれた黄色い札を自転車のカゴにくくりつけ、走っている姿をときどき見かける。御主人にゴミ出しをさせたりは決してしないと言っていた。圭子ちゃんのお弁当も、冷凍食品だけは絶対に使うまい、と決めて作っているという。

御主人が浮気をしているかもしれない、と、山岸静子が青い顔でもらしたのは、今年のお正月のことだった。新年会と称して、私たちはやっぱりこのエビス・ボウルに集まっていた。御主人の帰りが遅くなって口数が減り、ときどきベランダにでて煙草を吸う――夫婦共に煙草を吸うくせに、山岸家は禁煙なのだ――ふりをして携帯電話で誰かに電話をしている、というのが浮気説の根拠だった。

「あやしいわね」

私たちは三人ともそう言った。

「でもね、帰りが遅いのは忙しいだけかもしれないし、口数が減ったのは疲れてるとか、こっちに越してから圭子の学校のこととかいろいろあって、辛《つら》い時期だってこともあるしね、電話はたとえばお義母さんかもしれないし」

山岸静子はそう抗弁した。

「実家にあんまり長電話してると私がつい不機嫌になっちゃうから、それがいけないのかもしれない」

結局あのときは、そのあと焼肉屋で食事をするという新村由起子の家族がどやどやとやってきて——三人の子供たちは揃《そろ》って赤い頬《ほお》をして、雪国の子供みたいに着ぶくれていた——、浮気話はうやむやになった。

「たとえほんとうにそうでも、浮気ぐらいで別れてやったりしちゃだめよ」

去り際に、新村由起子がそう言ったのを憶《おぼ》えている。

それからしばらくして集まったとき、山岸静子は何かのついでみたいに唐突にぽつんと、

「こないだの話は私の誤解だった」

と言ったのだが、表情の読みとれない顔をしていた。ほんとうに「誤解」だった

のかどうか、あるいはそれがほんとうに誤解だったとして、山岸静子がそれをほんとうに信じたのかどうか、一体誰にわかるだろう。

「ねえ、それぞれマイシューズを買うっていうのはどうかしら」

投げたあと、しばらくそのままの形で止まっている堤文枝のうしろ姿を見ながら、新村由起子が言った。

「だって貸し靴って恰好悪いじゃない？　子供靴みたいな色合いだし、足が短く見えるわ」

「ストライク！」

堤文枝は絶好調だ。これで三本続けてストライクをだしている。彼女のボウリングは、音もフォームも他の三人と全然違う。年季が入っているのだ。

私たちは三人とも片手をだし、英雄の帰還を歓迎する。

「マイシューズねえ」

「だって毎度毎度三百円払うことを考えたら、かえって経済的だわよ」

背後の自動販売機でごろんと鈍い音がして、堤文枝がポカリスウェットを持って戻ってきた。この人にはポカリスウェットの青い缶が妙に似合う。

「ああ、ビール飲みたい」

新村由起子が言った。

レーンでは、山岸静子が少女じみた仕草でオレンジの球をころがしたところだ。球はきれいにカーヴを描き、二本残してピンを倒した。

「いけるいける、スペア大丈夫よ」

新村由起子が手をたたいて声援を送る。

「お酒、もう全然のまないの？」

私は堤文枝に訊いた。彼女はかつてアルコール依存症になりかけて、病院に通ったのだそうだ。

「のむわよ。ビールくらいなら、いまは飲んでも大丈夫」

こげ茶色のセーターにモスグリーンのボックススカート、同じモスグリーンのタイツをはいている。

「おいしいと感じる？」

「勿論」
肌の浅黒い堤文枝は、笑うと白い歯がのぞいて魅力的だ。アルコールに依存しかけた、彼女いわくの「最悪のとき」、いちばん支えになってくれたのは「昔の男」だったという。その男との間にはもう肉体関係はないが、親友みたいなものなのだそうだ。

堤文枝と私は、何度か二人で会ったことがある。堤文枝のお姉さんが健康食品に凝っていて、堤文枝はそれをどういうわけか私に分けてくれるのだ。黒酢とか、プロポリスとか、冬虫夏草とか。

喫茶店のテーブル越しにそういった食品を受けとったあと、私は堤文枝から、「最悪のとき」の話をきいた。さらにさかのぼり、彼女が学生時代につきあっていた男の話も。

その男と堤文枝は、二人とも演劇部に所属していたという。男はサミュエル・ベケットが好きで、背が高く、痩《や》せていた。二人は同棲《どうせい》を始め、大久保《おおくぼ》にあったそのアパートは、部員達のたまり場になった。でもその男は、大学三年の秋に自殺してしまった。実家の階段の踊り場で、首を吊《つ》ったのだそうだ。

黒酢だのプロポリスだのを渡してくれたあと、堤文枝はそんなことを話した。

スペア狙《ねら》いの山岸静子の二投目は、ガターに終わった。

「あなたその球、軽すぎるんじゃない?」

新村由起子が指摘した。

学生時代。堤文枝にも新村由起子にも、山岸静子にもそれはあったのだ。それはほとんど信じられないことに思える。私たちはお互いに旧姓さえ知らないし、出会ったとき、私を除く三人にはすでに子供もいた。

堤文枝の連続ストライク記録は三本でとまり、私は二度続けてガターをだした。新村由起子は着々とスペアをとってスコアをのばし、難しいスペアを決めるとガッツポーズをした。

いつも不思議に思うのだが、ボウリング場が暑いのは空調のせいだろうか熱気のせいだろうか。寒がりの新村由起子は普段異様に着ぶくれているが、ボウリング場に来ると次々に脱ぎ、いまやブラウス一枚になっている。それでも暑そうに見えるのは、下にばばシャツを着ているからだ、きっと。

山岸静子は紙パック入りのりんごジュースをストローでそっと啜《すす》っている。茶色く染めた、くるくるの髪の毛。

「ああ、疲れた」

「あと一ゲームね」

私たちはしばらく休憩をする。

「ああ髪切りたいな。前髪が目にかかって鬱陶《うっとう》しい」

山岸静子が顔をふりながら言い、

「前髪なんか自分で切りなさいよ、パツンと」

と、新村由起子が指をハサミのように動かしてみせながら言った。

「なんなら私が切ってあげるわよ。うちは主人のも子供たちのも、みーんな私が切ってるの」

山岸静子は弱々しく笑い、

「そうね、今度お願いしようかな」

と言ったがその気がないことは明らかだった。

「あ」

時計をみて、山岸静子が携帯電話をとりだした。

「帰ってる？」

圭子ちゃんにかけているのだ。

「五時から塾でしょう？　遅れないでね」

その電話はごく自然なものなのに、その場の空気にある種の違和感を産む。私たちはなぜだか聞こえないふりをする。

「持田さんの御主人ってやさしそうな人よね」

私の結婚指輪に視線を落としながら、堤文枝がそう言った。

「あら、堤さんの御主人はやさしくないの？」

新村由起子が茶化した。それからことさら年上ぶった口調で、

「やさしかろうとやさしくなかろうとおんなじよ。うちなんか、そういうことはもう全然期待してないの」

と言う。

嘘《うそ》だ。私は新村家の寝室を思いだしてしまう。

夏に、新村由起子がみんなをバーベキューに招いてくれたときのことだ。ガーデニングに精をだし、御主人以上に日曜大工が得意で、自らワゴン車も運転する新村由紀子は郊外の一軒家に住んでいる。子供がまだ小さいので、室内には驚くほど物があふれていた。玩具《おもちゃ》だの、衣類だの。

二階のトイレを借りようとして、私は寝室に入ってしまった。四人のうちでいちばん年かさで、いちばん体格がよく、私の夫にいわせると「元気なお母さん」である新村由起子の夫婦の寝室は塵《ちり》一つなく磨きたてられていた。そこに子供の気配はなかった。チェストの上に置かれたガラス鉢いっぱいのポプリの、甘く乾いた匂いがしていた。

それを見てしまったとき、どういうわけか、私はうちのめされた。

「きょうお夕飯どうしようかな」

電話を終え、りんごジュースのパックをつぶして山岸静子がひとりごとのように言う。

「いいじゃない、冷凍食品を買っていけば」

堤文枝がにやりとして言った。

「困ったときはしゃぶしゃぶよ、しゃぶしゃぶ。簡単だもの」

新村由起子が助言をする。

「さて、最後のゲームね」

私は立ち上がり、球だまりに歩く。ピンクのボールを拾いあげ、そばに置いてある布で拭《ふ》く。うしろを振り向くと、山岸静子が煙草に火をつけるのが見えた。堤文枝がスコアラー席でポカリスウェットをのむのも。

山岸静子の財布には、彼女自身の子供のころの写真が一枚入っている。振《ふ》り袖《そで》を着た、七五三のときの写真だ。写真の中の山岸静子はきょとんとしており、口紅をひいた小さな唇は、とってつけたさくらんぼのように赤い。髪にさした藤《ふじ》の花のかんざしが、顔の横にたれかかっている。夫の写真でも娘の写真でもなく、彼女はその自分の写真を財布に入れて持ち歩いている。

私はレーンの前に立つ。周囲の喧噪《けんそう》がゆっくりと遠のく。結局のところ、私たちはみんな喪失の過程を生きているのだ。貪欲《どんよく》に得ては、次々にうしなう。

「やっぱりマイシューズを買いましょうよ」

私のうしろ姿を見て新村由起子が言うのが聞こえ、私は目の前のレーンにボールを転がした。一本道みたいに見える、つるつるに磨きたてられたレーンに。

ジェーン

Jane

ジェーンとは、夏のあいだだけ一緒に暮らした。部屋は一つで、キッチンとバスのついた、狭いアパートだった。ベッドが一つ空いているから、と、ジェーンは言った。ルームメイトがでていってしまったから、と。

一九八七年のことだ。湿気が多く、街ごと蒸されるように暑い夏だった。

ジェーンと私は大学で出会った。どちらも正規の学生ではなく、パートタイムでクラスをとっていた。

ジェーンは大柄な女性で、顔の造作もなんとなく大雑把だった。白っぽい金色の、長い髪をしていた。ショッピングモールの偽刺青屋《にせいれずみや》で働いていて、お金がたまったらフルタイムの学生になり、心理学の勉強をするのだと言っていた。

ジェーンのベッドは、いつも乱れたままだった。シーツはしわくちゃで、上掛けは床にずり落ちていた。

「私は几帳面《きちようめん》な人間ではないの」

ジェーンは自分でそう説明した。

私はといえば、世界からはずれてしまっていた。なにもかもうんざりだった。大学は途中でやめてしまい、毎日暇を持て余していた。ビザは、もうとっくに切れていた。

「紘子《ひろこ》の、自由奔放なところがいい」

向坂《こうさか》さんはそう言ってくれていたけれど、私は自由奔放などではなかった。ただのいきあたりばったりだった。だいたい、せっかく就職した会社を三年ぽっちで辞め、学生時代からつきあっていた年上の男の転勤にくっついてニューヨークまで来てしまうなんて、いま思うとノータリンだったのだ。

そして、世界からはずれてしまった。向坂さんのことも、もともとそれほど好きではなかったような気がした。

それにしてもつくづく暑い夏だった。ジェーンは汗かきで、暑がりのくせに頑としてエアコンをとりつけなかった。寝るときも窓をあけていて、そのせいで車の音やパトカーのサイレンや、酔っ払いの声や口笛がうるさかった。

「暑くて眠れないわ」

ジェーンはよくそう言った。寝返りをうったり呻《うめ》き声みたいなため息をもらしたり、シーツをなんどもばさばさいわせたりした揚句、起きだしてテレビをつけ、ワインを飲み始めるので迷惑した。

「私は眠りたいのよ」

暑さに苛立《いらだ》って、ついそう言ってしまうこともあった。口調がとげとげしかったと私が気にするようなときでも、ジェーンは気にしないようだった。

「知ってるわ」

低い、無表情な声でそう言った。そういうときのジェーンは、テレビの放つ青白い光の中で、顔も無表情だった。

なぜジェーンと住むことにしたのか、よくわからない。どちらも大学に友達がいなかったことと、ジェーンは家賃を半分払う人間を必要としていたこと、それに、もしかすると私は向坂さんから離れたかったのかもしれない。

家賃は五二〇ドルだった。私たちはそれを、きっかり半分ずつ払っていた。

私は週に一、二度向坂さんと会っていた。会うのはたいていアパートの近くで、日本人ビジネスマンの多いミッドタウンには近寄らなかった。

そのころには、セックスはもうあまりしなくなっていた。以前は私の部屋でしていたが、ジェーンと暮らし始めてそれができなくなったからだ。それでも、旅先ではそういうこともした。向坂さんは出張が多かったので、私たちはボストンやトロントの貧相なビジネスホテルで抱き合った。向坂さんは椅子《いす》にすわった姿勢ですることを好んだ。その方が楽だし、私の表情がよく見えると言った。第一、両手が自由に使えるじゃないか、と。向坂さんはまだ四十代だったけれど、心臓に病気を持っていた。ニトロールという薬をのんでいた。それは白い錠剤で、彼がセックスのあとにそれをのむと、私はいつもかなしくなった。悪いことをしたみたいな気がするのだった。

向坂さんは、ジェーンをあまり好きではなかった。ときどき気前よく二人に御馳《ごち》走《そう》してくれたが、会話は弾まなかった。

「この人はちょっとがさつだね」

ジェーンに日本語がわからないのをいいことに、本人の前でそんなふうに言ったこともある。私はかばったりしなかった。そうね、と、あっさり認めた。ジェーンはがさつだった。

また、ジェーンはむだ毛を大切にしていた。生えてくるものにはみんな意味があるのだ、と言っていた。ジェーンは堂々と着替えをしたし、花柄の、袖《そで》なしのワンピースを好んで着ていたので、腋《わき》の下が露《あら》わになっていた。髪は白っぽい金髪なのに、そこになめらかにねかしつけられている毛はうすい栗色《くりいろ》で、なぜか濡《ぬ》れたようにつやつやしていた。私には、それは奇妙なことのように思えた。奇妙で特別なことのように。

「チャップは嫌がらない?」

一度、ジェーンにそう訊《き》いてみたことがある。

「なぜ?」

ジェーンは私をまっすぐに見て、そう問い質《ただ》した。

「チャップは、あるがままの私を受け容《い》れるべきなのよ」

自信にみちた、やや教師然とした言い方だった。

一緒に暮らし始めるとじきに、私はジェーンがわずらわしくなった。

向坂さんとの関係は、もういきどまりだった。つきあい続ける理由はなく、でも別れる理由もみつからなくてつきあっているのだった。妻との関係は冷えきっている、と、向坂さんは言った。娘は日本の友達に電話ばかりしている、と。私にはどうでもいいことだった。

向坂さんはいつも疲れていて、私といるとほっとすると言った。一家はプリーザントヴィルに住んでいた。

ジェーンは私に、向坂さんに妻と別れてほしいと言うべきだ、と言ったりした。いまのままでは、妻にも私にもフェアじゃない、と。私にはわからなかった。彼にそんなことをしてほしくはなかった。あるいは、彼がそんなことをしないのを知っていた。日本で、関係が始まったころには、いつか結婚したいと思っていた。あるいはすくなくとも、一緒に暮らせたらと思っていた。でも、どういうわけか、物事は変化していた。

私にはすることがなかった。バッテリーパークで知り合いになった中国人と街を散策したり、彼女の働いている食糧雑貨店を手伝ってみたりしていた。

私は向坂さんの、一体どこに惹《ひ》かれたのだろう。物知りなところ。たぶん。いやらしいセックスをするところ。小柄で、目がおち窪《くぼ》んでいて、いっぷう変わったすごみがあるところ。そして、私の前で弱虫の子供みたいになってしまうところ。たぶん。学生運動やヒッピーの世代なのに、運動家にもヒッピーにもなれなかったところ。

ジェーンが向坂さんを好きだったはずはない。向坂さんは、ジェーンをとるにたりない存在みたいに扱った。いてもいなくても同じみたいに。でもジェーンは彼をいつもほめた。キュートだと言った。彼女がそう言うのを聞くたびに、私は理由なく苛立った。

ジェーンはものすごく大きなおっぱいをしていた。チャップはそれを、メロンズ、と呼んでいた。

私たちは、部屋でセックスをしないというとり決めをしていた。ジェーンが私に、はじめにそう言い渡したのだ。前のルームメイトともそうしていたのだ、と。

ジェーンとチャップは、しばしば浴室にこもった。二人とも大きな声をだすので、私の方がぐったりした。そういう日は、エアコンのない部屋の蒸し暑さが余計に身にこたえた。

ジェーンはチャップに夢中だった。私がチャップをすこしでも悪く言うと、ジェーンは機嫌をそこね、

「あなたは彼を知らないのよ」

と言った。私は、そうね、と、こたえた。

チャップはジェーンよりいくつか年下で、機械部品の工場につとめていた。音楽が大好きで、車に乗るとばかでかいヴォリウムでラジオをかけた。信号で停《と》まると窓から片腕をだして、ドアをたたいてリズムをとるのだった。

「二人きりのときはやさしいのよ」

ジェーンは言ったが、私の目に、チャップはいつも意地悪く映った。チャップは仕事が終ると必ず「疲れた、くたくただ」と言い、そうするとジェーンはマッサー

ジをしたがった。チャップはうんざりしたように、「きみのマッサージは力が強すぎるからいやだ」と言う。それはとても感じの悪い言い方で、そのたびにジェーンが傷つくのがわかった。そうしてそれでいて、チャップは結局ジェーンにマッサージをさせるのだった。

また、チャップはよく友達と夜遊びにでかけ、ジェーンに車で迎えに来させた。呼ばれれば、ジェーンは必ずでかけた。もう眠っていた場合でも。

私がジェーンのアパートに引越してきた日に、ジェーンは小さなパーティーをしてくれた。はりきって昼から料理をした。作ってくれたのはラザニアとサラダで、サラダにはゆで玉子がたくさん入っていてきれいだった。ジェーンはチャップを招き、私たちは三人で食事をした。チャップの選んだ変なヒップホップを、私はうるさいと思った。

ジェーンには料理の才能はなかった。ラザニアはべたべたで甘すぎ、トマトソースだけが熱くて、中のパスタはぬるいのだった。

私は努力して食べた。「ズッキーニは大好きよ」とか、「きれいなサラダね」とか、嘘《うそ》にならないように気をつけてほめた。でもチャップは違った。一口食べるなり顔をしかめて皿を押しやった。「ドミノだ！」と奇声をあげて、ほんとうにピザをとってしまった。私たちは白ワインを四本あけ、夜中まで騒いだ。私はチャップを、意地悪だと思った。

向坂さんは、私たちのアパートには近づかなかった。街なかで会うことを好んだ。あるいは出張先のホテルで。

私の家賃は、向坂さんが払ってくれていた。僕がそうしたいのだから、と、向坂さんは言った。

ジェーンはお金がなかったのに、一度私に服を買ってきてくれた。それはピンク色のサマーニットで、私の好みではなかったが、ジェーンは、私にはそれが似合うのだと主張した。あなたはスイートな色を着るべきなの、と言った。べき、は、ジェーンのよく使う言葉だった。

私はお礼を言ったが、おそらくあまり嬉《うれ》しそうには見えなかったと思う。ジェーンは私を抱きしめて、いいのよ、と、言った。私はあなたを妹のように思ってるんだから、と。

私はジェーンを姉のように思ったりしたことがない。かつても、いまも。

「紘子は僕の女神だ」

向坂さんはときどきそんなことを言った。

「紘子のためなら、僕は地獄におちてもいい」

と。でも無論、私は地獄になどいきたくなかった。

セックスのとき、向坂さんは私の足先を撫《な》でたり舐《な》めたりする。くるぶしと足指の一本一本を、時間をかけてしゃぶる。それで私は向坂さんに会う前にはいつも念入りに足を洗い、かかとにボディーローションをすりこんだり、足指のあいだにパウダーをはたきこんだりした。そうしながら、私は自分たちをどうしようもなくおろかに思った。向坂さんの長い長い愛撫《あいぶ》は、私を官能ではなく憐憫《れんびん》でみたした。

私は犬を飼っているみたいな気持ちになった。かあいい、かあいそうな、年をとってしまった犬。

たぶんなにもかもが、すこしずつ狂い始めていたのだ。

向坂さんが、未成年者に性行為をさせたかどでつかまったとき、私が感じたのは疲労だけだった。その未成年者は勿論《もちろん》意図的に、というか職業的に性行為をおこなったのだったが、それは向坂さんの立場を何らよくはしなかった。示談が成立し、事は公にならずにすんだが、向坂さんは帰国させられることになった。私が向坂さんにその話をきいたのはグラマシーの定食屋で、月も星もでていない、もやもやした夜だった。

向坂さんは「まいったよ」と言った。妻が口をきいてくれないと言った。娘は何も知らないはずだけど、と。

私はそこで、白身魚のフライを食べた。随分と大きなそれに、ビネガーをふりかけて食べた。グラスの白ワインは若く硬い味がした。

「紘子のせいじゃないよ」

向坂さんが弱々しく笑って、おそらく精一杯紳士的にそう言ったとき、私にははじめ、意味がわからなかった。向坂さんはつまり、私がジェーンのアパートに引越さなくて、以前みたいにいつでも事を成せる状態だったら、こういう結果にならなかったと言っているのだった。

「そうね」

私は言った。

「私のせいじゃないわ」

と。

私たちはテラス席にいて、蚊が一匹まとわりついていた。私も向坂さんも、話しながらときどき手でその蚊を追い払った。向坂さんはえんじ色のネクタイをしていた。私はその日の彼のネクタイの柄を、どういうわけかいまも憶《おぼ》えている。

「今夜もセックスをしたい?」

私が訊くと、向坂さんは呆《あき》れたような顔をした。たぶん呆れたのだと思う。私は、なぜこの人に呆れられなければならないのかわからなかった。全然、わからなかった。

「でも、会社をくびにならなくてよかったじゃない」

そう言ってみた。向坂さんは、さらに弱々しく笑った。

奇妙なことに、でもこの一件は、私たちをすこし親密にした。結局のところ、すべてのカップルがそうであるように、私たちにも私たちの特別があり、偶然と必然のねじれたかたちで存在するそれは、私と向坂さんがはからずも積み上げてしまった、二人だけにしかわからないモニュメントなのだった。

それから向坂さんの帰国の日まで、私たちは毎日のように会った。向坂さんの生活が慌しかったので、昼間、三十分とか一時間とか、短い時間しかなかった。私たちは港を散歩したり、向坂さんと仕事のつきあいのあった人たち——事件のことは何も知らない人たち——への挨拶《あいさつ》の贈り物を選んだりした。

私はジェーンに、そういったことは何も説明しなかった。ただ彼が急に帰国することになったとだけ言った。ジェーンは太く力強い腕で、私を抱きしめてくれた。

ジェーンに抱きしめられると、顔が胸におしつけられるので息苦しかった。それで私は、それまでにもたびたび、「私を抱きしめるのはやめて」と言ったのだが、ジェーンはちっとも気にしなかった。そして私を「妹のように」、しばしば抱きしめるのだった。

数日後、ジェーンは私に「ギフト」があると言った。私はそれをうけとるべきだ、と。それは偽の刺青で、どこでも好きな場所に、ジェーンがペイントをしてくれるというのだ。水を使って貼《は》る特殊なシールで、ペイントを上から保護するしくみになっていた。

刺青に興味はなかったが、「一週間もすれば消えてしまうから」と、ジェーンはとりあわなかった。そして私の左肩に、小さな人魚をかいてくれた。人魚はきれいな濃い青だった。

ジェーンと私は、めったに一緒に外出しなかった。すくなくとも二人きりでは。私たちには、似ているところが一つもなかった。

ジェーンの子供のころの話をきいたことがある。小学生のときの話だ。ジェーンは当時から身体《からだ》が大きく、そのことで一人の男の子にいじめられた。靴屋の息子で、ステファンという名前だったそうだ。ステファンは、毎朝学校にいくとき、片手にいっぱい小石を持っていて、ジェーンのうしろをくっついて歩き、背中にそれをぶつけたのだそうだ。毎朝よ、と、ジェーンは強調した。

ある日ジェーンは大きな石を探し、それを掘りだして鞄《かばん》に入れた。大人の男の握りこぶしを二つあわせたくらいの石だったという。ステファンはいつものようにジェーンに小石をぶつけながら、うしろをちょこちょこ歩いていた。ジェーンは立ち止まり、鞄から石をだすと振りむいて、ステファンの顔をめがけてそれをぶつけた。石はステファンの額を割った。

ジェーンはそれを、懐かしい思い出話みたいに話した。英雄的行為のエピソードみたいに。

夏は終りかけていた。

何も考えていないチャップがばかげたことをして、それがその夏の最後の出来事になった。ジェーンの留守にやってきたチャップが、私をベッドにおし倒したのだ。私は悲鳴をあげて抵抗した。自分でもびっくりするくらい、大きな声がでた。ヘールプ、と、二度叫んで口を手で覆われた。チャップは何度も「シット」と言った。私は叫ぶのをやめなかった。チャップが力をゆるめると、すぐに叫んだ。私はここにいます、とか、たすけて、とか。

向いの部屋の女性——私はそのときはじめて会ったのだが——が駆けつけてくれた。なんでもないんだ、と、チャップは彼女に説明した。自分たちは親しい友達なのだ、と。私はののしり言葉を吐いた。

向いの女性は、どっちの言い分を信じていいのかわからなくて困っているようだった。でていってよ、と、私はチャップに言った。チャップは向いの女性にむかって首をすくめ、やれやれ、というようにでていった。私のシャツのボタンはちぎれていた。

その夜戻ってきたジェーンは、私にでていくように言った。チャップに全部聞いたわ、と。ジェーンは、「チャップはショックをうけている」と言った。私が何か言おうとすると、聞きたくないわ、と怒鳴った。

ジェーンは落ち着いていた。怒鳴るのは「聞きたくない」と言うときだけで、他のことを言うときは無表情だった。まるで、深夜にテレビをみているときみたいに。

私はもう何か言おうとするのをやめた。ジェーンにはわかっているのだとわかったからだ。ただ、めちゃめちゃであることに変わりはなかった。なにもかも、単純にめちゃめちゃなのだった。

「紘子は残るんだろう？」

向坂さんと最後に会ったとき、そう訊かれ、私はうなずいた。

「そうだと思ったよ」

私は向坂さんに、大学に戻ろうと思っている、と、言った。嘘だった。そんなつもりはなかった。実際、戻ったりしなかった。それでもたぶんそう言った方が、向坂さんが安心するだろうと思ったのだ。

私たちはジャドソン教会のそばを歩いていた。大きな木が風に揺れていて、ホットドッグやアイスキャンディの屋台がでていた。

「セックスをしたい？」

私は、向坂さんを笑わせるだけの目的でそう言ってみた。向坂さんは笑った。私たちは、そういうことをする関係ではなくなっていた。

おそろしく暑い夏だった。私は港のそばにアパートをみつけ、それから半年そこで暮らした。アメリカでは当時大統領選挙に向け、様々なキャンペーンが繰り広げられており、缶ビールにジョージ・ブッシュの顔が印刷されていた。一九八七年の夏だ。ジェーンにも向坂さんにもそれ以来会っていない。

私はときどき思う。向坂さんはいまも恋人の足を愛しているかしら。ジェーンはメロンみたいなおっぱいをして、「ありのまま」に生きているかしら。

動物園

Zoo

樹《いつき》がしまうまを見たいと言うので、動物園に行くことにした。動物園といえば上《うえ》野《の》しか思いうかばず、私たちは電車を三本乗りついで、上野に来たのだった。

二月。小雨の降る寒い日で、私は樹のおなかが冷えないように、下着を二枚重ねてはかせた。私が台所でおむすびをつくり、ほうじ茶を淹《い》れて水筒につめているあいだ、樹は小さな輪っかの形のシリアルを、テーブルにならべることに熱中していた。

「遊んでないで食べなさい」

シリアルはもう牛乳にひたした後だったので、私はちょっとうんざりして言った。強力なガスヒーターのおかげで台所はあたたかく、居心地がいい。樹は椅子《いす》の上に立ち上がり、一人で何事かつぶやきながら、シリアルの列をながくのばしていた。

上野はひさしぶりだった。もうずっと昔、学生のころに来て以来だ。美術館に絵をみに来たのだったと思うが、絵のことはまるで憶《おぼ》えていない。公園で反戦デモをやっていて、つるりとした仮面をつけた人々が、地面に横たわって死人のまねをしていたことだけが記憶に残っている。私は怯《おび》えたのだと思う。そんなものを見るのははじめてだったから。あの日も、雨が降ったり止《や》んだりの肌寒い日だった。

私は樹に、夫のために編んだ赤い衿巻《えりまき》をまきつけて来た。とても長い衿巻なので、それをぐるぐるまきつけられた樹は窮屈そうに見える。それでも、太い糸で不器用にざくりと編まれたそれは、樹の気に入っている。私の母が樹のために細いモヘアで丹念に編んだ衿巻は、樹が言うには「ちくちくするから嫌」なのだそうだ。

雨はごく弱く、私は傘をたたんだまま歩いた。樹は迷彩柄の小さなリュックをしょって、私の指を握りしめて歩いている。

空はどんよりと重たく、ちゃかちゃかした店先のすべてが濡《ぬ》れていて、灰色とうす茶色の混ざったような街の空気は、じんと寂しい匂《にお》いがした。

「寒いね」

私の言葉は半ばひとりごとのようなものだったのに、樹は律儀に顔を上げ、私の表情を確かめるみたいに、

「寒いねえ」

とこたえた。

動物園に向うゆるい坂をのぼりながら、他の子供を見ると樹が緊張するのがわかった。私の指を握る手に力がこもり、わずかに唇をひらいて、他の子供をじっと見るのだ。幼稚園に通わせていないせいかもしれない。

動物園は可笑《おか》しいほどすいていた。閑散というより荒涼としている。

「どうする？　最初にしまうまを見る？　それとも順路どおりにいってみる？」

樹は真面目《まじめ》な顔で考え、

「順路どおりに見る」

と、こたえた。

最初は鳥類の檻《おり》だった。私たちはゾウを見て、トラを見て、ゴリラを見た。樹は眉《まゆ》を寄せ、一つずつ時間をかけて観察する。説明の札を読んで欲しいかと問うと、いい、と、短く断られた。

動物園というところに来ると昔からそうなるのだが、私は順路の矢印を見失ってしまう。

「こっちかしら」

とか、

「まあ、こっちにいってみましょう」

とか、曖昧《あいまい》に言うとその度に樹は心許《こころもと》なげに私を見た。きちんと順路どおりに進みたいのだ。でも文句を言うことは控えているらしい。樹は夫によく似ている。

雨のせいで、動物の毛だの皮膚だの飼料だのの匂いがより濃くたちこめていた。動物たちはくたびれているように見えた。

私たちは猿山の前でながい時間をすごした。白熊《しろくま》とフラミンゴの前でも。樹はあまり喋《しゃべ》らなかった。猿だ、とか、白熊だ、とか言うときの声も、歓声ではなく低いつぶやきにすぎなかった。ただ黙々と歩き、黙々と観察しているのだった。

私は樹の横顔を眺めた。寒さのせいで赤らんだ頰《ほお》や、そのいちばん張りだした部分が乾燥してかさかさになっていることや、ぽってりした唇や、ながいまつ毛なんかを。樹は、そこにいるどんな動物よりも奇妙な生き物に見えた。それは私と夫の理解を超えている。私たちが出会って愛しあい、そして授かった奇妙な生き物。

聖《さとし》——というのが私の夫の名前なのだが——は途方もなくやさしい男で、困るほど正直でもあり、妊娠がわかったときには私を抱きしめて離そうとしなかった。あまりにも腕に力を込めてきつく抱かれたので、髪や皮膚がひっぱられて痛かったことを憶えている。そして、聖は翌日、私に贈り物を持って帰ってきた。赤ん坊が生まれる記念だと言った。それはホーロービきの赤いやかんで、私は一目で気に入った。素晴らしい贈り物に思えた。またとなくふさわしい、実用的でしかもロマンティックな。赤ん坊の生まれる記念にやかんだなんて、聖のほかに一体誰が思いつくだろう。やかんは、無彩色な台所の中で、そこだけ灯がともったみたいにあかるく見えた。

一つの檻の前でしばらく立ち止まり、次の檻に移動する前などに、私はときどき、

「ママにキスして」

と、言った。樹はいやがりもせず、腰をかがめた私の頰に濡れた口を押しつけたが、どういうわけかキスをしたあとに走り出すので、その度に追いかけなくてはな

らなかった。

動物園は広く、はてしがないように思えた。一人で見物しているらしい初老の男性と、黄色いレインコートを着た子供を二人連れた男女に、たびたび会った。

雨は依然として降ったり止んだりし、その度に私は傘をひらいたり閉じたりした。

屋根の下にベンチとテーブルのならんだ場所をみつけ、私たちはそこでお弁当をひらいた。お茶はまだあたたかかったけれどおむすびは冷えきっていて、食べても身体《からだ》はあたたまらなかった。指先に、湿った海苔《のり》の匂いがまとわりついただけだった。

「しまうま、どうだった?」

私は訊《き》いてみた。樹は首をかしげ、にっこり笑ったが、返事をしなかった。

「くたびれた?」

重ねて訊くと、樹は憤然として首を横にふった。

それで私たちは立ち上がり、ごみを捨て、トイレにいって、また歩きはじめる。

そのとき私のコートのポケットの中で、携帯電話が鈍い音をたてた。

「ちょっと待って」

私は樹に言い、立ち止まってその黒い器械のボタンを押した。

「もしもし?」

七割方は、母からだろうと思っていた。でも残りの三割は期待していた。

「陽子《ようこ》?」

たちまち全身の皮膚がやわらかくなった。

「聖?」

私の言葉に、樹が期待のまなざしで私を見上げた。

「アパートに電話したら留守だったから」

湿り気を帯びたやわらかい声が言う。

「留守よ。動物園にいるの。樹がしまうまを見たいって言って」

私は説明した。嬉《うれ》しくて、声がどんどんあかるくなるのがわかった。

「あなたはいまどこにいるの?」

私たちが住んでいる駅の名を、夫は言った。

「一緒に夕食はどうかなと思って」

すてき、と、私はこたえた。とてもすてき、と。

たとえば私の母や聖の弟がするように、聖を責めることは私にはできない。

パパ？　パパ？　と、樹がそばでうるさく尋ねる。

「そうよ、パパよ。一緒にごはんを食べましょうって」

私は嬉しいニュースを樹にわけてやる。樹は片足を持ち上げ、両腕を身体にひきつける形のガッツポーズをした。

「雨なのに動物園にいるの？」

聖は随分遅れたタイミングでそんなことを訊いた。

「そうよ、雨だけど動物園にいるの」

聖はすぐここに来ると言った。ここで待ち合わせよう、と。一時間半後にしまうまの檻の前で、と言ったら横から樹が、白熊の前の方がいいよ、と、言った。どうしてだかわからない。でもともかくそういうことにした。一時間半後に白熊の檻の前で。

雨は降り続いており、すこし前よりはげしくなったようでさえあるのだが、私には、空があかるくなったように思えた。雲の先にある光が、薄汚れた空気のそこらじゅうに散らばっているのが感じとれるみたいに。

黒い器械を手渡すと、樹はそれを不器用に頬に押しあて、

「パパ？」

と言った。でもそのあとはもっぱら質問にこたえる方にまわり、うん、とか、見た、とか言っていた。

樹が私の母をあまり好きでないらしいことについて、私は母に同情する一方で、それを奇妙に誇らしくも思う。母は私の夫について否定的なので、樹は息子としてそれが気に入らないのだ。

それからの一時間半はたのしかった。午前中とは全然違った。私たちはキツネを見て、うさぎを見た。爬虫類館《はちゅうるい》というところにも入った。樹はトカゲを恰好《かっこう》いいと言った。すごく恰好いいと。

二人とも寒くて、凍えていることに変りはなかったが、午前中とは較《くら》べものにな

らないほど心臓が元気だった。樹が洟《はな》をするので、私はたびたび洟をかんでやった。二度トイレにいき、売店でココアを買ってのんだ。

二人とも、約束の時間が待ち遠しかった。それでそう言い合った。

「待ち遠しいね」

と。

「あんたたちはどうかしてるよ」

母はしばしばそう言う。彼女の言うあんたたちとは私と聖だが、私たちの息子である樹も、無論どうかしているのだ。私はそれを特別なことだと感じる。特別で、たぶん幸福なことだと。

私と樹は、十五分前に約束の場所に戻った。青と白のしましまのバギーを押した男女が、ゆっくりした歩調で歩きながら白熊を眺めている。白熊は二頭いて、一頭はだらしのない恰好ですわり、もう一頭が周囲を動きまわっていた。

「家族なの？」

樹が訊き、私は、さあ、とこたえた。

五分後に夫が現れた。背の高い夫は、遠くからでもすぐにわかった。紺色のオーバーコート、肩まで届く髪、ジーンズをはいた細すぎる足、それに一度も磨いたことがないみたいな黒いショートブーツ。夫はポケットに両手を入れ、ぶらぶらと近づいて来た。困惑したような笑顔をうかべ、私と樹のどちらを見ているのかわからない。おそらくどちらとも目を合わせないようにしているのだろう。夫の視線は、私と樹のちょうど中間あたり、なにもない場所をただよっているみたいに思える。

樹が息を吐くみたいな声で、パパだ、とつぶやいたときには、私は全身で聖を見つめていた。私はつないだ手を離したが、樹はじっとしていた。それで夫は私たちの目の前に立ち、やあ、と言った。やあ、お二人さん、と。

赤ん坊になじむことができない、と夫が言ったのは、樹が生まれて半月もたたないうちだった。夜泣きが嫌とか、そういうことじゃないんだ、と、夫は言った。ただ、どうしていいのかわからないんだ、と。夫は困惑しきった顔をしていた。樹には近づかなかった。樹がぐっすり眠っているときにだけ、おそるおそる顔をみて、

「かわいいんだな」

と、言ったりした。

私はそんな夫をみても心配しなかった。赤ん坊を持つというのはどちらにとってもはじめての経験だったし、「なじめない」のはあたりまえだと思っていた。私は幸福だった。夫がいて、樹がいて、台所には赤いやかんが置いてあった。アパートは居心地がよかった。

夫はたぶん不幸だったのだ。

動物園を、私たちはさらに散策した。もう一度猿山を見て、トラを見てナマケモノを見た。樹はどちらの手も握らず、先に立って歩いた。案内係みたいに。

「仕事は忙しいの？」

歩きながら私は訊いたが、胸の内ではべつのことを考えていた。夫に触れないようにするだけで大変な努力が要った。夫のコートに顔をこすりつけて、雨と外気を吸ったその布の匂いをかぎたいと思っていた。

「いや、いまはそうでもないよ。先月は忙しかったけど」

夫は外車を売っている。私たちがまだ一緒に住んでいたころ、私はよく彼の職場にいったものだった。それは大通りに面したガラスばりのショールームで、赤や黄色のぴかぴかの車が展示してあった。私たちはガラス越しに合図を送りあった。口の動きだけで何か言葉を伝えあったり、誰にも見られないように細心の注意を払ってキスを送りあったりした。職場で、夫はながい髪をきちんとうしろでまとめていた。

夫が外泊するようになったときも、私はさほど重大なことのようには感じていなかった。毎晩必ず電話をくれたし、外泊先は私も知っている友人たちの家だった。電話口で、夫は大切に思っていると言った。私と樹を大切に思っている、と。

やがて夫はアパートを借りてしまった。お風呂《ふろ》も電話もない安アパートで、家賃は三万円だった。

「パパ、新幹線見たい？」

ナマケモノの檻の前で、うしろを振り向いて樹がふいに言った。

「新幹線？」

夫は訊き返し、樹は迷彩柄のリュックサックから、新幹線の玩具《おもちゃ》をだしてみせた。

誰も何も言わなかった。動物園に来るのになぜ新幹線を持ってきているのかはまともな人間にはわかりようがないし、いきなりそんなものを見せられても、意見の言いようがないのだ、勿論《もちろん》。

期待した反応が得られなかったので、樹は新幹線をリュックサックの中にしまう。私は樹のそばにいき、髪に軽く触れながら檻の中を指さして言う。

「動物にさよならを言って。ママもう寒くなっちゃったわ」

私たち三人は動物園の出口に向ってとぼとぼと歩く。私は傘をひらき、樹を呼んだが樹はいらないと言う。それで私も傘をたたむ。

ふいに夫の腕が私の腰にまわされる。私はびくっとするけれど拒むことができない。頭を夫の肩にもたせかける。重い冬の匂いがする。私は自分の身体が冷えきっていることに気づく。髪が濡れて、みじめな様子に見えることにも。

「ホテルにいこう」

夫が言った。

「これからみんなで食事をして、樹を帰してからホテルにいこう」

私は樹のうしろ姿を眺めながらそれを聞き、耳と頰に夫の暖かな息がかかるのを感じる。それが胸や下腹の皮膚にこぼれるときどんな感じがするか、夫の長すぎる手足が私を抱きしめるときにどんなふうに動くか、なげやりと愛情の半々にまざったそのやりかたの一つ一つを、一瞬のうちに思い出す、あるいは、想像する。

「うちでしたいわ」

私は言う。自分で思ったよりも強《こわ》ばった声になり、身体まで離してしまったので、それはなんだかけんか腰に響く。あるいはすくなくとも挑戦的に。

夫は立ち止まり、戸惑ったように私を見る。まるで拒絶されたみたいに。

「どうしてホテルだなんて言うの？」

私はおそろしくかなしくなり、まるでほんとうに自分が拒絶したような気がする。途端に何もかもがいやになってしまう。歩くのも、帰るのも、シリアルの散らかったテーブルを片づけるのも。

私たちはもう動物園の門に着いていた。門の脇《わき》に樹が立って待っており、そのそばで、灰色の服を着た男の人が掃除をしている。

「食事にいきましょ」

微笑《ほほえ》みらしきものをどうにか浮かべて、私は言う。落ち着きをとり戻そうとし、半ば成功したかに感じた。

「なにしてるの？」

樹が大きな声をだした。

「ねえ、なにしてるの？　ねえってば」

私には、そこにいるのが奇妙で破壊的な動物にしか思えなくなる。樹に近づくことができないと感じる。

「わるい、わるい」

夫の声がして、彼が大きな歩幅で樹に近づくのが見える。私の横をすり抜けて、まっすぐに、無造作に。

「まるい顔だなあ、お前」

夫は樹の上にかがみ込むようにして話しかけている。小さな、ふくれっつらの、赤らんだ頰の一部がかさかさと乾き、赤い衿巻をぐるぐるに巻きつけられた樹の上に。

私はつっ立ってそれを見ている。自分たち三人が、いま一緒に動物園にいるということが不思議に思える。物事の順番や、原因や道理は遠すぎてさっぱりわからないと思える。

「あんたたちのやりかたは、あたしにはわからない。とっても変だよ」

母はそう言うが、でも、人は誰だってどういうふうにかしてやっていかなくてはならないのではないか。

空は思うさま水分を含んで低くたれこめ、雨は夜になっても止みそうにない。私たちは食事にいくだろう。樹は興奮してはしゃぎ、はしゃぐといつもそうであるように、皿の上の物をあらかた残してしまう。私は、テーブルに置かれた夫の手の指や、足首のところで交差している二本の足を見つめるだろう。夫は臆面《おくめん》もなく私の目を見つめ、ウェイターのサービスがよければ機嫌がよく、悪ければ怒りだすだろう。そして私たちをアパートまで送ってくれる。私はコーヒーをいれ、私たちはセックスをするだろう。

「おーい、陽子さん」

ふざけた調子で夫が呼び、私は小さく深呼吸して歩き始める。

「家族なの？」

そう尋ねたときの樹の表情を思い出す。

私が近づくと、樹は待ちかねたように私の指を握りしめた。

「パパがね、今度トカゲをつかまえてきてくれるって。さっき見たみたいに大きくてのろまなやつじゃなくてね、もっと小さくてビンショウなやつだって」

私は微笑む。

「よかったじゃない」

私たちは歩き始める。駅に向って長い坂を下る。そうやって、動物園を後にした。

犬小屋

Kennel

郁子《いくこ》さんに電話をかけた。

ごはん食べにおいでよ、と郁子さんが言ったので、私はいま電車に乗っている。

郁子さんとは二年ばかり疎遠になっていた。どうしてかというと、奈津彦《なつひこ》が郁子さんを好きになりそうだったから。

新代田《しんだいた》駅を降りて踏み切りを渡り、お鮨屋《すしや》さんの角をまがって道なりにいくと、左手に郁子さんのアパートがある。鉄筋コンクリートの、古いアパート。入口に何台も停《と》められている自転車も、あちこちのベランダに干してある洗濯物も、あのころとすこしも変らないようにみえる。

手土産に買ったシュークリームの箱をぶらさげて、私はひんやりした匂《にお》いの階段をのぼる。

クリーム色の金属のドアがあき、郁子さんじゃなく文代《ふみよ》さんが、私を抱きしめてくれた。

「ひさしぶりじゃない。元気そうね」

部屋の中は、なんだかわからないスパイスの匂いで一杯だった。

私たちは三人でお昼ごはんを食べた。私と郁子さんと文代さんの三人で。

「ワインだけはいいものじゃないとね」

郁子さんと文代さんは貧乏なのに、あいかわらずそんなことを言う。それで私たちは上等のワインをのみ、随分辛《から》いサモサみたいなものや、甘酢につけた野菜や、複雑きわまりない味の、白身魚のカレーみたいなものを食べた。食事中もしばしば文代さんがゴロワーズを喫《す》うので、部屋の中は料理の匂いプラスその煙草《タバコ》の葉巻じみた甘い匂いでむせ返りそうな濃さだった。

小さなベランダのついた窓が開け放たれているので、匂いはおもてにも漂っていることだろう。水色の空や、よその部屋のベランダや、チューリップの咲いているみんなの庭に遠慮もなく。

「おいしい？」

豊満な肉体を粗末なワンピース――早すぎる夏服だ、と、私は思った――に包んだ郁子さんが訊《き》き、私は困った顔をしてしまう。昔からそうなのだが、郁子さんのつくる料理は強烈に甘く、強烈に辛く、強烈にすっぱい。私の困った顔をみて、文代さんが、あはは、と笑った。

郁子さんは、かつて私の姉だった。兄の妻だったという意味だ。彼らは四年間一緒に暮らし、三年前に離婚した。兄の涼一《りょういち》はいまも独身だ。郁子さんも独身で、でもどういうわけか文代さんと暮らしている。

「まだこの卓袱台《ちゃぶだい》を使ってるのね」

一昔前のままごと道具みたいに安っぽい、うす緑の合板の、四角いテーブル。

「買い換える理由もお金もないもの」

文代さんがこたえた。

「それで？　奈津彦くんは元気？」

濡《ぬ》らしてしぼったタオルで足を拭《ふ》きながら——これは郁子さんの奇癖。食事のあとで手足を拭く——、郁子さんが本題に入った。

「元気よ」

私はこたえる。

「でもね、犬小屋に入ったきりなの」

「犬がいるの？」

横から文代さんが口をだし、目を輝かせた。

「あたし、犬って大好き」

まだなの、と、私は説明した。

「それがまだ犬はいないの」

と。

兄と郁子さんが離婚を決めるすこし前に、私と奈津彦は結婚した。奈津彦は兄の大学時代の友人だった。私の結婚の前後、私たち四人はかなり仲がよかったと思う。兄と郁子さんと、私と奈津彦。

食事をしたりお酒をのんだり、映画を観《み》たりビリヤードをしたり、ドライブにいったりスキーにいったりした。

私は奈津彦が大好きだった。奈津彦は小柄で均整のとれた身体《からだ》つきをしており、スキーが上手で、ラーメン屋とジャズにくわしい男だ。私たちは兄夫婦の前でおもいきりべたべたした。そうせずにいられなかったのだ。私は奈津彦の顔をみるだけで、自分がとろとろの表情になるのがわかったし、奈津彦も私をみると甘い甘い顔になり、他の人に話しかけているときとは全然ちがう、甘い甘い声で私にものを言った。

「お前たちには呆《あき》れるよ」

兄は心底呆れた口調でそう言ったし、郁子さんも可笑《おか》しそうに同意してうなずいた。

私たちは結婚し、奈津彦のそれまで住んでいたアパートで、新しい生活を始めた。私は揃《そろ》いのマグカップを買った。一年後にもうすこし広いアパートに引越した。ベッドと洗濯機を新しくし、それだけで私は嬉《うれ》しくて、有頂天になった。朝と夜に一度ずつ、私たちはセックスをした。

兄と郁子さんが離婚したのはそのころだった。離婚しても、兄も郁子さんも私たちにとって親しい、大切な友人であることに変りはなかった。それで私も奈津彦も、あいかわらず兄を誘ってジャズバーにでかけたり、郁子さんの新居であるこのアパートに、奇妙な料理をごちそうになりに来たりしていた。

「郁子さんの部屋に変な女が来た」

そう教えてくれたのは奈津彦だった。

「また行ったの？　郁子さんのとこに」

私が訊くと、奈津彦は首をすくめた。

変な女、が文代さんだった。

奈津彦は文代さんをすごく悪く言った。品がないとか、ぶさいくとか、郁子さんをだましてるとか。

私は奈津彦が郁子さんを好きになっているような気がした。

その想像は妄想になり、私を苦しめた。私は奈津彦を失うくらいなら死んだ方がいいと思った。私まで奈津彦に捨てられたら、兄と私はみじめな兄妹すぎるとも思った。

「俺《おれ》はどこにもいかない」

奈津彦は言ったし、

「たまにお茶に寄るだけよ」

と、郁子さんは言った。

「そんなに思いつめちゃいけないわ」

おっとりした口調で励ましてもくれた。兄の涼一も、

「奈津彦はそんな奴《やつ》じゃない」

と言った。

「郁子だってそんな女じゃない」

とも。それらの言葉は、でも全然役に立たなかった。私には、彼らがみんなぐるになっているように思えた。自分だけが疎外されているみたいに。

私は奈津彦に、もう二度と郁子さんに会わないでほしいと頼んだ。奈津彦は、わかった、と言った。私と郁子さんは、そうやって疎遠になった。

「犬はいないのに犬小屋があるの？」

文代さんは言い、シュークリームを箱からだしてお皿にならべる。小さなコップ

も三つならべて、冷蔵庫から麦茶をだして注いだ。

「この部屋暑いね」

私は言い、てのひらで顔をあおいでみる。

「もうじき夏が来るもの」

郁子さんは言った。

私は奈津彦に、他にもいろいろなことを頼んだ。どこか郊外のしずかな街に引越して、兄からも郁子さんからも遠い場所で二人きりで暮らして、とか、朝ごはんと夜ごはんは必ず一緒に食べて、とか、歩くときは昔みたいに手をつないで、とか、奈津彦の好きな音楽は私にも聴かせて、とか、毎日セックスするのは大変だからしなくてもいいけど、かならず裸でぴったりくっついて眠って、とか。

奈津彦は一つずつクリアした。山のふもととも言うべき百合ヶ丘《ゆりがおか》に家を借りてくれたし、どんなに仕事が遅くなっても家に帰って食事をしてくれる。ついでに言うと、私たちは避妊に細心の注意を払っており、私と奈津彦の間に介入してくる怪物の心配はない。

なにもかも上手《うま》くいっていたのだ。

「トースターの掃除をしたの」

私は奈津彦の会社に電話をかけて、日々の出来事を報告した。

「ゴミにかぶせるネットをカラスがやぶいてしまったんだけれどどうすればいいかしら」

と相談したり、

「きょうの夜はエビフライとポークチョップとどっちを食べたい？」

と訊いてみたり、

「べつに用事はないんだけれど、声が聞きたくなっちゃって」

と正直に打ちあけてみたりした。

「ちゃんとコンセントを抜いてから掃除した？」

とか、

「じゃあ今度新しいネットを買いにいこう」

とか、

「エビフライがいいな」

とか、

「それはありがとう」

とか、奈津彦はそのたびにちゃんと返事をしてくれた。

ただ、百合ヶ丘の借家に引越してから、奈津彦は日ごとに疲労してゆくようにみえた。

「犬を飼ったらどうだろう」

奈津彦がある日そんなことを言った。

「犬がほしいの？」

私が訊くと、奈津彦はすこし考えて、

「ほしい」

と、こたえた。

「庭で飼う？　部屋に入れない？　一緒に寝たりしない？　犬をかわいがって、私をかわいがるのをやめたりしない？」

すべての質問に、奈津彦は、

「うん」

とこたえた。私たちは犬を飼うことにした。

「まず犬小屋をつくらなくては、って、奈津彦は言ったの」

私は郁子さんと文代さんに言った。二人とも、シュークリームを手でちぎったり口に入れたりしながらうなずいている。

「それで道具を買ってきたの」

犬小屋の制作過程というのは興味深いものだ。

「板を四枚貼《は》りあわせて箱にするわけじゃないのよ。知ってた?」

私が言うと、郁子さんは「知らないわ」とこたえ、文代さんは煙草に火をつけて、

「いいから先に進んで」と言った。

「ちゃんと柱を四本立てるの」

私は思いだし、すこしだけ幸福な気持ちになる。作業は土、日に行われ、私も庭にでて手伝った。何かを手渡すとか、どこかを押さえているとか、その程度の手伝

いだったけれど。

「ね、どんな犬にする？」

私はわくわくして奈津彦に尋ねたものだ。

「庭で飼うなら丈夫な犬がいいわね」

とか、

「色は黒っぽい方がいいな」

とか。奈津彦は小屋づくりに熱中した様子で、犬の種類も形状も私に任せると言った。

底板に立てた四本の柱に、横長の板材をきっちり打ちつけていく。

奈津彦は黙々とそれをやった。大工仕事の得意な方ではないにもかかわらず、写真入りの手引書を見ながら、几帳面《きちょうめん》に。

「犬には名前がいるわね。でも犬の顔をみてからじゃないと、名前は決められないわね」

私が言うと、奈津彦は名前も私に任せると言った。

屋根は屋根で柱を組み、小屋本体に固定してから板材を打った。板材はすその方から、端をすこし重ねて打つ。雨が降っても、水がちゃんとはけるように。庭に響くかなづちの音は、私にとって奈津彦がそこにいるしるし、ちゃんと存在しているしるしであるように思えた。

約一カ月をかけて、奈津彦はそれを完成させた。きれいに傾斜した屋根つきの、ペンキを塗っていないので素朴で美しい、誰がみても犬小屋だとわかる犬小屋を。

そして、そこに入ってしまった。

「ちょっと寝心地を試してみる」

と言って、寝袋を持ち込んで。

私はびっくりしたが、すぐでてくるだろうと思った。うちの庭にいるのだし、かまわないと思った。

奈津彦はその晩そこで眠った。そして翌朝普通に会社にいった。いつものように終電で帰って、いつものように食事をし、

「今夜も犬小屋で寝る」

と言った。犬小屋は小さくてしずかで、新しくて気持ちがいいから、と。

その日の夜中、私は起きて、リビングの窓から奈津彦を眺めた。紺色の寝袋に包まれた、奈津彦の脚が犬小屋からつきでているのを。

私もそこで寝たい。

そう思ったが、どういうわけか、私はその言葉をのみこんだ。言ってはいけないことのように思えた。

奈津彦はそこに、いろいろなものを持ち込むようになった。懐中電灯とか目覚し時計とか、煙草とか水割りのグラスとか。

「今夜はベッドで一緒に眠って」

私が頼むと、奈津彦はしぶしぶそうした。でも二日続けて頼むと、今夜はだめだと断られた。そうやって、奈津彦は犬小屋で寝るようになってしまった。

「犬を買いにいきましょうよ」

私が言うと、奈津彦は表情を曇らせる。

「そのうちにね」

とか、

「もうすこしだけ待ってほしい」

とか、曖昧《あいまい》なことを言う。

文代さんがげらげら笑った。足を投げだしてすわっており、スカートの裾《すそ》がめくれている。窓の外は長閑《のどか》で、子供たちの遊ぶ声がしている。

「奈津彦はよくここに来ているんでしょう?」

私は郁子さんに訊いた。

「引越ししても、禁止しても、だめだったんでしょう?」

どういうわけか、私の声に怒りは含まれていなかった。ずっとわかっていた、と思った。

郁子さんは何か考えるように首をかしげて、

「そうねえ」

と言った。

「たしかに奈津彦くんはよくここに来るけれど、でもあなたが思っているような関係じゃないのよ」

私は、郁子さんの白い、豊かな、うっすらと汗ばんだ胸元をみながら、奈津彦はあそこに顔を埋めるのかしらとぼんやり思った。郁子さんは兄の奥さんだったのに。

「たいしたことじゃないと思うわ」

郁子さんは微笑《ほほえ》んで言い、もう一つシュークリームを手にとった。それから文代さんの方をみて、

「くき茶があったでしょう？　あれをいれましょうよ」

と言う。ああそうね、いいわね、と言いながら、文代さんが立ち上がる。

「ここの畳、すり切れすぎて、いっそ絨毯《じゅうたん》みたい」

そんなふうにつぶやいて、文代さんは台所にいった。やかんに水を入れる音、ガスが点火される音。

「そのうち飽きて、犬小屋からでてくるわよ」

励ますように、郁子さんは言った。

「男ってそういうもんよ」

私は黙っていた。壁に、商店街の名前入りのカレンダーがかかっている。

「それにほら、冬になれば寒いし」

郁子さんの声は、ひどく遠くにきこえた。

郁子さんの声だけじゃなく、周囲の音のすべてが遠のいた。そのぶん色や匂いだけが、浮きあがって思えた。

「みんな変だわ」

私は言ったが、その声にも、怒りは全然含まれていなかった。つぶやくみたいな声になった。

「いいからシュークリームをおあがんなさいよ。いま、くき茶が入るから」

奈津彦が変なのか私が変なのか、郁子さんと文代さんが変なのか、私にはもうさっぱりわからなくなっていた。

「きょうはほんとに蒸すわね」

郁子さんは言い、窓の外をみる。

「ね、ここに来るとき庭のチューリップをみた？　満開なの。チューリップってばかみたいな花ね、かわいそうになる」

だってほら、と言って郁子さんは可笑《おか》しそうにくつくつ笑う。

「日があたっているからってあんなにそっくり返って、くるったみたいに開ききっちゃって」

濃く残るスパイスの匂いとゴロワーズの匂い、台所でお湯の沸く音。

「男の人が犬小屋で寝るからって、そんなに気を揉《も》むことないわ。チューリップみたいになっちゃうわよ。日なんてすぐに翳《かげ》っちゃうんだから」

そう言って、郁子さんはまたくつくつ笑った。

十日間の死

Death for 10 days

あたしたちは二人組だと思っていた。

気をぬくとすぐに涙がでてくるけれど、これはマークのための涙ではない。マークのためになんか、あたしは泣いてやらない。あたしは失われた真実のために泣いているのだ。

セント・ジェイムズ、というホテルに、いまあたしは泊っている。父親のクレジットカードの請求書が届くまでは、誰にもあたしの居場所はわからない。

あたしは混乱している。そして、半分死んでいる。

あたしには信じられない。マークが彼女に駆けよったことが、全然信じられない。

あれは、あたしたちのためにしたことなのに。

あたしは十七歳で、逃亡者だ。二人組だと思ってたけど、それはあたしの誤解だったみたい。ああやだ、また涙。こんなふうにして、あたしはだらだら泣き続けている。掃除係に電話をかけて、さっきティッシュを三箱もらった。鼻の下の皮膚はもう赤くすりむけてしまった。

いずれみつかって家に連れ戻されるだろう。でも、あたしにはそれはもうどうでもいいことのように思える。マークと逃げるのでなければ、マークと世界を新しくするのでなければ、あとはどこにいても、何をしても、おなじことだ。

きのう父親のクレジットカードで服をいっぱい買ってきたので、着替えはたっぷりある。あたしの逃亡生活は、きょうで四日目になる。

ここは気どった、いけすかないホテルだ。昔の修道院かなにかみたいに、ながい回廊でつながった平屋建ての建物。瓦屋根《かわらやね》と赤レンガ、それに夥《おびただ》しい量のガラス。内装はひたすら白く、あちこちにアンティークなタイルが使われている。ガラスばりのバスルーム。電動式のブラインドを上げると壁一面またガラスで、高台に建つこのホテルの窓からは、小さくて思いきり古い、あたしの大嫌いなボルドーの街が見渡せる。

夜、それは息を呑《の》むような眺めだ。手前の並木は姿を消し、戦争にさえ屈しなかったこの街の石造りの建物たちが、影絵みたいに浮かびあがる。

「ゴージャスだ」

マークならきっとそう言っただろう。様々なかたちの尖塔《せんとう》、路地の灯《あか》り。マークもあたしに劣らずこの街を嫌っていたが、一方で、古いものにはかけがえのない、揺るぎない美しさがあることを、マークはちゃんと知っていた。ただしマークは語彙《ごい》が乏しかったから、なにもかも「ゴージャス」か「プリティ」、そうでなければ「ラブリー」で片づけてしまうのではあったけれど。

質素にして優雅、寡黙にして饒舌《じょうぜつ》なこのボルドーの街で、あたしとマークははみだし者同士だった。

あたしの名前は加藤めぐみ。父親の転勤に伴って、五歳から十四歳までフランスで暮らした。ランス、というのがその頃あたしたちの住んでいた街の名前で、ランスもボルドーとおなじくらい古く、しずかで美しい街だった。

十四歳で帰国して、「短大まで受験なしでつながっている」東京の学校に入学したが、あれは最悪の日々だった。あたしには、あの子たちが一体どうしてあんなにおとなしく、子供みたいなふりをしていられるのかいまだに理解できない。それに、正直なところ授業についていかれなかった。おそろしく難しいんだもの。

　高校一年の三学期に、あたしは自主退学をすすめられた。あたしは退学したいと言い、両親は退学して何をしたいのかと訊《き》いた。せっかく日本にいるんだから九州で焼きものを焼くとか京都で染色をするとかしようかな。冗談半分にそう言ったら父親に叱《しか》られた。あたしも本気でそういうことがしたかったわけじゃない。他に何も思いつかなくて、でも学校はもううんざりだったから言ってみただけだ。

　結局あたしは高校を退学し、半ば強制的に留学させられてしまった。この国の文化を愛してやまない両親に言わせると、「もっともフランス的な精神の残る街」であるボルドーの、女子寮つきの高等学校に。

　それが去年のことだ。あたしは十六歳の、不貞腐《ふてくさ》れて不機嫌な娘だった。いま思うと、それも当然のことだ。あたしは世界に参加していなかったんだもの。自分の目でなにもかもみるっていうことだけど。

　マークに出会って徐々にそれを教えられるまで、十六年間もよく生き延びてきたと思う。自分の人生も持っていなかったのに。

どこから話せばいいだろう。出会い？　それともマークという奴《やつ》について？　旅？　キスとかセックスとかの話？　ハーレーダビッドソンと、あたしたちの「おいしいもの」と、週末ごとにでかけた見本市と、ばかみたいなジョークと、人生が突然ひらけたみたいなめくるめく発見のあの日々を、どこから語ればいいだろう。

あたしは母親に連れられて、夏の終りにフランスに戻った。秋からの新学期にまにあうように。だから母親のことから始めるのがいいかもしれない。身長一六〇センチ体重五二キロ、シックで上品なマダムにみえるように、若いころから髪をひっつめているけれど、そのわりには口紅の輪郭が唇より二ミリも外側で、年と共にアイラインのひき方も派手になったえせフランス人の「ママ」のことから。

彼女とあたしはともかく馬が合わない。あたしをひたすらおとなしくさせたがっていた父親と違って、彼女はあたしに、「もっと要領よく」なりなさいと言った。「親に反抗するならするで、もっと要領よくやりなさい」と。

それは、後年マークと発見した言葉を使えば勿論《もちろん》「精神の堕落」だ。精神の堕落は、ひたすらおとなしくすることよりもっと、あたしの性に合わない。

で、あの日もあたしとママは口論になった。成田《なりた》から飛行機をパリで乗り継ぎ、ボルドーに到着した翌日の午後。八月の、まぶしく晴れた日だった。あたしたちは市内のホテルに泊っていて、午前中に学校の手続きをすませた。午後はママのお買物のお伴《とも》。ところどころでカフェに寄りながら市内の高級店を軒なみまわり、ママは店員をつかまえては得意のフランス語で長話をした。ええ、ランスにね、あそこは美しい街ね、パリなんかはどんどん変っちゃって俗悪になるけれど、とかなんとか。あたしは仏頂面《ぶっちょうづら》でそれをきいていた。

新市街の中心の広場まで来たとき、あたしはマークに出会った。正確にいえば出会ったのじゃなくて、あたしがマークをみかけただけだけど。

二つの理由で、マークは目立っていた。広場にいた誰もが、その瞬間にマークをみたと思う。理由の一つはハーレーダビッドソンで、もう一つは激怒したナディアだった。ブロンズ製の馬たちが、口のみならず大きな鼻の穴からまで盛大に水しぶきを噴き出している噴水のかたわらに、マークはつっ立っていた。白い巨大なオートバイと共に。水しぶきは日ざしをうけてきらめき、うねりながら落ちる。きりもなくたくさん。小柄な女――それがナディアなんだけれど――が何かまくしたて、片足をふみ鳴らしてマークの頰《ほお》に平手打ちをした。水音のせいで、あたしたちの場所からはそれはサイレント映画のようにみえた。

「あらまあ」

おもしろそうに、ママが言った。

それからあたしたちはカフェに入り、マークとナディアに勝るとも劣らない口論をした。

そもそものきっかけが何だったのかは、もうはっきりとは思いだせない。ママのすべてにあたしは苛立《いらだ》っていたし、あたしの態度にママも苛立っていた。あたしはもうお買物なんかしたくなかったし、カフェオレなんかのみたくなかった。憶《おぼ》えているのは、あたしが先にホテルに帰ると言ったことだ。ママは、それは認められないと言った。あたしを一人にするわけにはいかない、と。

あたしはぶちきれて立ち上がった。

「嘘《うそ》つき」

悪意を込めてそう言った。

「あさってになればあたしを一人にして帰るくせに。あたしを学校に押し込んで、お買物を抱えて帰るくせに」

平手打ちまではしなかったものの、言いまわしが変になるくらいには興奮していた。

「落ち着きなさい」

ママは言ったが、あたしが店を出るのを止めようとはしなかった。

おもてはかんかんに晴れていた。夏のあいだだけ、この陰鬱《いんうつ》な街にも生気が満ちる。大きなプラタナスやマロニエが、すばらしい緑を誇っていた。

広場の、さっきとは別な場所にマークがいた。ハーレーを椅子《いす》がわりにして、一人でホットドッグを食べていた。

あとになってマークが言ったところによると、あのときマークは、あたしにホットドッグをせびられるのかと思ったのだそうだ。笑ってしまう。あのころのあたしは、食べるものになんか何の興味もなく、必要な栄養素が全部カプセルになり、それでみんなが食事をすませるようになれば簡単なのに、と思っていたくらいなのだから。

「ボンジュール、ムッシウ」

マークがアメリカ人であることはみればわかったけれど、あたしはママよりずっと流暢《りゅうちょう》なフランス語でそう話しかけた。

「このオートバイに乗ってみたいの。乗せてもらえる？」

マークはちょっとおどろいたようにあたしをみた。

「さっきの女の人はもう帰っちゃったんでしょ？」

あたしが言うと、つかのまぽかんとしたあとで、マークは笑った。愉《たの》しそうに笑って、

「いいよ《oui》」

と言った。

「いいよ《oui》、いいとも《sûr》」

と。英語みたいなフランス語だと思った。

そうやって、あたしはマークと出会った。八月の終りのカンコンス広場で。でも、あれが出会いだったなんて、いまのあたしには信じられない。もっとずっと昔から、あたしたちは知り合いだったと思える。たぶん太古の昔から。

たった九カ月で、あたしたちはたくさんのことをしすぎたのかもしれない。たくさんの時間を共有しすぎたのかもしれないし、たくさんのことを話し合いすぎたのかもしれない。たくさんセックスをしすぎたのかも。

あたしには、セックスの快楽はよくわからない。でも、裸でマークにくっついているのは好きだった。羞恥心《しゅうちしん》を捨ててもいいということ。

セックスのあと、あたしたちはよく、いつまでも裸ですごした。マークは裸のあたしを好きだと言い、あたしも裸のマークが好きだった。筋肉質な手足も、けっこう脂肪のついたお腹《なか》も、太い首や胸毛や、深くくぼんだおもしろいかたちのおへそも。

マークは一族の余計者だった。マークが自分でそう言ったのだ。そして、あたしもそう思う。あの一家をみればそれはあからさまだったもの。一族というのはマークのではなくナディアの。マークはナディアと結婚してフランスに来たのだ。そして、ファミリービジネスのはみだし者になった。

ナディアの一族はワインのシャトーを持っている。ボルドーでも屈指の大きなシャトーだ。ナディアは六人きょうだいの三女だから跡とりではないが、広告部門の責任者をしている。その勉強のためにアメリカに留学し、マークと知り合ったのだった。

一族は郊外のお邸《やしき》に住んでいる。広大なぶどう畑、伝統的手法と最新式設備。ドッグキーパーつきの犬、キャビアとサーモンのでるお茶。あたしの父親がシャンパーニュの輸入をしていたのであたしもすこしは知っているのだが、そういう人たちの暮らしぶりってほんとうに変っているのだ。

いまでも憶えているけれど、ランスで知り合ったそういうお金持ちの一人は死ぬほど感じが悪く、あたしはそこに「お招《よ》ばれ」するのが大嫌いだった。ふるまわれるのはいっつもサーモンだった。ディルを添えた、あぶらっこいサーモン。「かしこくあれ、ひたすらかしこくあれ」というのがそこの家の家訓で、冗談みたいだけど、みんな大真面目《おおまじめ》にそれをしばしば口にした。

話がそれてしまった。そのシャトーでの、マークの仕事は外国のマスコミへの対応だった。

「わかるだろ」

マークはあたしに説明した。

「シックなスーツを着て、笑顔で」

一度、そういう取材記事の載った雑誌を見せてもらったことがある。一族が揃《そろ》った記念写真の中で、マークはひときわ大きな笑顔を顔に張りつけていた。

「どうみえる？」

マークに訊《き》かれ、

「ばかみたいにみえる」

とこたえたら、マークは大げさに両手をひろげ、

「そうなんだ」

と、悲嘆に暮れた表情で、でも愉しそうに言った。マークは実際、なにもかもジ

ヨークにしてしまうのだった。

取材のないときは、マークは自由だった。ナディアとの関係は、「タフな局面にきている」らしかった。ナディアにはそのときすでに恋人がいて、結婚から五年経《た》っても子供ができないことも、マークの「立場を悪く」していた。わかってもらえるかどうかわからないけど、あたしにはそれは、でもどうでもいいことだった。

あたしは自分がマークに恋をしていたのかどうか、いまでもよくわからない。あたしにとって、マークはただマークで、恋人なんかじゃなかった。でも、この九カ月のあいだ、あたしたちはいつでも、たしかに二人組だった。

いろんな場所にでかけた。あたしはしょっちゅう寮を空け、マークは何日も家を空けた。あたしは学校の問題児になり、マークは一族の問題児に――以前にも増して――なった。あたしたちは気にしなかった。すくなくとも、気にしないと言い合っていた。

「ファミリービジネスなんてシットだ」

とか、

「離婚する」

とか、

「学校になんて頼まれても戻りたくない」

とか。

でもほんとうは、どちらもどきどきしていたのだと思う。想像もしなかった状況にどんどん陥って、それは息もつけないほど幸福などきどきだったけど、同時に不安のどきどきでもあった。息をついたら全部嘘になってしまう、と思ってでもいるみたいだった。それであたしたちはもっと急いで、もっとたくさん、もっと息もつかずにくっついたり笑ったりしなければならなかった。ハーレーで国道をぶっとばすときの、何万倍ものエネルギーで。


夕食の時間だ。

あたしは洟《はな》をかみ、シャワーを浴びて着替える。ここは気どった、いけすかないホテルだけれど、レストランの質はいい。あたしは泣き疲れ、半分死んでいるのに食事をする。ちゃんと食べることが大事だと、教えてくれたのがマークだからだ。だからあたしは食事をする。レストランで堂々と、一人で。

はじめのうち、マークといてもあたしは食べなかった。興味がなかったし、食べたものがたまたまおいしかったとしてそれが何なのだと思っていた。

マークが好むのはジャンクなものばかりだった。山のようなフレンチフライとか、砂糖がけのバンズとか。でもそれらが素材そのままの味と重みであたしの身体《からだ》に入ってくるのを感じたときのおいしさとヨロコビと驚きは、生涯忘れないと思う。

「大丈夫」

にっこり微笑《ほほえ》んで、マークは真面目に言ったものだ。

「フランスにもおいしいものはあるよ」

と。思いだすだけで幸せな気持ちになる言葉だ。美食の国フランスの、不埒《ふらち》なはみだし者二人。マークはそんなふうにして、いつもあたしを幸せにしてしまうのだった。

レストランは、クリーム色を基調にしつらえられている。中央の小卓に活《い》けられた、これみよがしな花々。マークさえいてくれたら。もう百ぺん目になるけれど、あたしはそう思った。そして、オマールえびを半分だけ食べた。

マークは、あたしの名前の「めぐみ」を上手《うま》く発音できなかった。何度言っても「メッグ」になってしまい、それはあたしにはとても気持ちの悪い呼ばれ方だったので、カトウと呼んでもらうことにした。マークはほっとしたようだった。お菓子《gateau》みたいでかわいい、と言った。

たいていの場合、マークは英語を、あたしはフランス語を使って話した。でもたまに、マークがフランス語を、あたしが英語を使うことがあった。これはフランス語でなくちゃ言えない、とか、これは英語じゃなきゃ言えない、とか思う言葉が——違う。言葉がじゃなく瞬間が——たしかにあった。それは発見だった。発見は、マークとあたしの、大好きな遊びだった。

あたしたちの愉しんだこと、好きだったことは他にもかぞえきれないくらいある。話すこと、笑うこと、下品なジョーク、ジャンクフード、中華料理、うんと喉《のど》を渇かして、ごくごくのむ水やソーダ。散歩、ハーレーの二人乗り、列車ででかける小さな旅、裸でくっつくこと、ビデオで観《み》る映画。フランス語と英語と日本語をまぜこぜにしたしりとり、酒場で旅行者と友達になること、見本市にいくこと。

ほとんど毎週末、あたしたちはどこかの見本市をのぞいた。この国の人たちは一体どうしてこんなに見本市が好きなのだろう、と、マークとあたしは言い合って笑ったが、でも実際あたしたちくらい見本市にでかけるフランス人もいなかっただろう。

土曜日の朝、街角で待ち合わせて、あたしたちはまず新聞を買う。新聞には見本市の情報が必ず載っていた。あたしたちはそれをひらき、柵《さく》とかベンチとか地面とかに腰をおろして頭をよせあって読み、その日の予定を決めるのだった。

ありとあらゆる見本市があった。古本の、ワインの、文房具の、電気製品の、赤ちゃん用品の、食器の、家具の……。

見本市をみて歩くとき、あたしはマークと暮らしているみたいな気持ちになった。自分たちに小さなアパルトマンがあり、そこにいろいろ必要なものがある、というつもりになって、みて歩いた。

可笑《おか》しかったのは、犬猫用品の見本市で、猫用のトイレを買ったこと。店主によれば、それはコンクールで金賞を受賞したトイレだということだった。

「シックだ」

マークが言った。フランス語のchicと英語のsickをかけた、あたしたちのいつものジョークだった。

「買おう」

マークが言い、あたしたちはほんとうにそれを買った。すばらしい、とか、うちの猫にぴったりだ、とか言い合いながら。もちろん二キロのトイレ砂も買った。白い石のかけらみたいなそれは青とグレイとピンクのかけらの混ざった綺麗《きれい》なもので、数秒で液体を固め、匂《にお》いをとじこめるようにできているそうだった。トイレ自体は淡いグレイで、マーブル模様がついていた。

あたしたちは苦労してそれを街に持ち帰ったが、結局いつも行く中華料理屋の主人にあげてしまった。店の裏にいる野良猫たち用に、とか言って。

中華料理。

新市街のまんなかに、大きな中華街がある。そこはあたしたちの気に入りの場所だった。つやつやした緑のやしの木が、どういうわけかたくさん植わっている。そこで働く人々や、いつまでも昼間みたいな時間のずれが、あたしもマークも好きだった。

マークはボストン生まれの三十五歳で、大きな身体と縮れた栗色《くりいろ》の髪、同じ色の目と口ひげを持っていた。ボルドーを嫌っていたけれど、アメリカに帰りたいわけではないと言っていた。それもあたしたちの共通点の一つだった。帰りたい場所がないということ。

マークはあたしにとって、この世でただ一人の仲間だった。話ができて、ちゃんと抱きしめてくれて、この世でただ一人、あたしがそばにいたいと願う相手だった。そして、あたしはマークにとって「アメイジングガール」だった。「ホットドッグを食べていたら、突然現れたアメイジングガール」だった。

あたしたちの関係は、すぐにナディアの知るところとなった。ここは小さすぎる街だもの。おまけにマークもあたしもハーレーも、どうしたって目立った。

あのハーレー。キングサイズだというそれは、二人で乗ってもたっぷりと大きく、あたしたちはそれの上で熱烈なキスを交わした。何度も。あたしがぺたりとそっくり返ってうしろに倒れても、あたしの頭はナンバープレートに届かなかった。後輪の上についた銀の荷台に、うしろ頭がのっかるだけだった。

シートはどこかの社長室の椅子なみにふかふかしていたが、あとはどこもかしこもごつごつして、つめたく、かたかった。

その機械は巨大で、石畳の街なかでは乗ることができず、育ちすぎた昆虫みたいだった。銀色のパイプだらけ。なにもかも白と銀と黒でできていた。前輪にも後輪にも、ホーロー鍋《なべ》みたいな白いおおいがかけられていた。

二人でそれに跨《また》がって、マークが目玉みたいなフロントライトをつけるとき、あたしはいつも、こわいものなしの気持ちになれた。

ブレーキレバーには左右とも黒い革がまかれていて、おなじ黒い革の、随分とながい房飾りがついていた。

マークは礼儀正しいオートバイ乗りだったので、旧市街には決してその昆虫を持ち込まなかった。暗い、すすけたように黒い石でできた、歴史そのものみたいなあの一角には。

かわりにあたしたちは郊外を走った。無粋《ぶすい》な国道や、赤土の田舎道を。見渡す限りぶどう畑の、ボルドーをボルドーたらしめている風景の中を。

大胆にも、あたしたちはナディアの一族の敷地さえ走った。マークがあたしに見せたいと言い、あたしはたぶん高慢ちきな気の強さと、何かを証明したい気持ちにかられて、行こう行こうとはしゃいだ。

それはたしかに絵のように美しい場所だった。水色の空、繊細な葉が影をおとす並木道。あかるい玉子色の壁際に、犬が一匹ねそべっていた。日なたと日陰のコントラストの強さに、現実感が歪《ゆが》むのがわかった。

「ラブリーだろ?」

マークは何度もそう言った。

あたしたちは、樽《たる》職人の仕事場ものぞいた。ひんやりと清潔な、ワインの眠る地下貯蔵庫も。

奇妙なことに、マークは一族のビジネスを誇りに思っていた。はみだし者のくせに、敷地の広さや豊かさや、伝統や設備や職人の技術や、ワインづくりのプロセスの一つ一つを、すごく誇りに思っていた。

それに、いまになってわかるのだが、ナディアを深く愛していたのだろう。

「デザートはいかがですか？」

給仕に訊かれ、あたしはいらないとこたえる。ちゃんと食事をしようと思うのに、マークなしでは上手《うま》くいかない。

あたしは部屋にひきあげる。鉢植えのレモンの木のならぶ、修道院みたいに白いながい廊下を通って。

目をさますと、部屋の中じゅう雨の気配がたちこめていた。窓の外をみるまでもなかったけれど、あたしは枕元《まくらもと》のスイッチで電動ブラインドを上げて、暗く濡《ぬ》れた並木と、その向うにひろがる陰気な街の景色を眺めた。ボルドーの雨はひどくつめたい。どの季節でも、つめたいのだ。

グレープフルーツの匂い。

このホテルの朝食のオレンジジュースは壜《びん》で、グレープフルーツだけ絞るのであるらしく、朝になるとかならずその新鮮な匂いがする。あたしの部屋は厨房《ちゅうぼう》に近いので、眠っていてもわかるくらい濃くただよう。

逃亡生活五日目の朝だ。

この部屋は白すぎる。シーツにもぐったまま、あたしは考える。壁も白、天井も白、リネンもタオルもスリッパも、ブラインドも白だ。白すぎて、モダンすぎて、それに静かすぎる。

壁の一つに装飾がわりに立てかけられた、二メートル四方くらいの白いキャンバスを眺めた。そこには泊り客が落書きをしていいようになっていて、愛の言葉や人の名前、日にちや、骸骨《がいこつ》と魔女の絵なんかが黒いマジックペンでかかれている。

頭が重い。あたしは起き上がり、ルームサービスに電話をしてコーヒーをたのんだあと、バスタブにお湯をためた。

コーヒーを受けとり、お湯につかって、あたしはまた泣き始める。裸で。つめたい皮膚で。ふるえて。

あれはあたしたちのためにしたことなのに。

午後、部屋の掃除をしてもらった。黒い髪を不恰好《ぶかっこう》にひっつめた、南米人らしいメイドが来た。笑うとかわいい子だった。名札に、アンナマリアと書いてあった。あたしには、アンナマリアがアンナマリアの人生を持っていることがうらやましく思えた。

あたしはもう、自分の人生を持っていない。全部失ってしまった。

六日目の午後、あたしはバスに乗って街にでてみた。見馴《みな》れたボルドーの街に。何をみてもマークを思いだす。あたしには行く場所がない。するべきこともなく、会いたい人もいない。それがいちばんつらいことだ。五日前以前のマークに会いたいけれど、それはもう失われてしまった。永遠に。

五月。街はつかのまの陽光に彩られている。あたしは幽霊みたいに路地を歩き、背の高い男やアメリカ人観光客をぼんやりみつめる。

この九カ月間に四度、あたしたちは列車の旅をした。一泊か二泊の、逃亡者みたいな旅だった。でも強烈に自由だと感じた。嘘みたいに自由だった。

あたしは毎日一時間か二時間しか学校に顔をださなかったし、無断外泊もしょっちゅうだった。東京にいる両親は、「警告」や「訓戒」の手紙を毎月のように受けとったはずだ。でも、そろそろ寮母さんが本気で騒ぎだすだろう。めぐみがまた脱走した、だから言ったでしょう責任は持てないって、あの子は例外だわよ、全然うちの生徒らしくならなかった。

学校。あたしは笑ってしまう。両親をかなしませたくはないけれど、あたしはそこで何一つ学ばなかった。それどころか、きちんと参加もしなかった。日本から転がしてきたトランクと、ぬいぐるみの置いてあるだけの寮の部屋。

あたしはこの街で、教育ではなく人生を手に入れてしまった。それも、ものすごく鮮やかな。

広場まで来ると、いい匂いの風がふき、あたしは目を細める。六日前にここで起きたこと——あたしが、あたしたち二人のためにやったこと、流血の惨事——の形跡は、もうどこにも残っていない。カルーセルも、わた菓子の機械も、たくさんのテントも片づけられてしまった。

ナディアはベビーピンクのスーツを着ていた。小さな街なので、いままでにもばったり会ったことはあるけれど、あの日は違った。あきらかにマークを探しに来たのだった。ベビーピンクのスーツに、黒いハイヒールをはいて。

「彼女シックね」

あたしは言ったが、マークは笑ってくれなかった。

「帰るわよ」

ナディアがマークに言った。あたしに言わせれば、ナディアは最低の女だ。自分には恋人がいて、それなのにマークを一族にしばりつけておく。マークがナディアを愛しているなんて、あたしは思いもしなかった。

「みて、すてきなテーブル」

あたしはナディアを無視して言った。年に二度だけひらかれる、大規模な骨董市《こっとういち》を見ているところだったから。

ナディアがわめくのがきこえた。あたしをあばずれと言うのもきこえた。ふりむくと、ナディアはマークの両腕をつかみ、興奮した犬みたいに吠《ほ》えていた。ものすごく醜悪な顔をしていた。ものすごく耳ざわりな声だった。

それであたしは彼女を殴った。そばにあったランタンで、おもいきり。

殺意だった。あのときあたしをつき動かしたものは、まぎれもなく殺意だった。

「シット」

マークはそう叫んで彼女を助け起こした。音楽がきこえていた。晴れた昼間で、キャラメルがけしたナッツやポップコーンの、熱く甘ったるい匂いがしていた。

あたしが加害者で、彼女が被害者だった。そしてマークは、彼女の味方だった。

あたしにはそのことが信じられない。彼女はわめいていた。顔から血がでていた。

あたしは逃げた。

逃げながら、目についたゴミ箱に携帯電話を捨てた。日本でみんなが持っていたものに比べると、無骨で大きく、トランシーバーかと思うみたいな黒い電話で、マークとあたしはいつもそれを使って連絡をとりあっていた。

自分のしたことに怯《おび》えてはいたが、後悔はしていなかった。ただ信じられなかった。マークが彼女の味方だなんて信じられなかった。

「カト」

マークはいつも、この上なく愉しそうな声であたしの名前を呼んだ。カト、あれをみて。カト、日本の話をして。カト、これを食べてごらん。マークはあたしをやせっぽちだと思っていて、あたしにたくさん食べさせたがった。それに、あたしにたくさんキスをした。キスをすると口ひげが唇にさわった。

「僕は落伍者《らくごしゃ》だから」

マークはときどきそんなことも言った。

マークにきいた、アメリカの話。公園の池の鴨《かも》に、マークは子供のころ名前をつけた。「タジン」という名をつけた巨漢の鴨が、マークは気に入っていた。

ボストンには港があって、そのそばに、「世界一すばらしい」と彼の思うオイスターバーがある。

ヒューイ・ルイス＆ザ・ニュースという歌手の、一九八六年の、サンフランシスコで行われたコンサートがどんなにエキサイティングだったか。マークは三人の友人とそれを聴きにいき、おもいきり熱くなって歌った。

マークが子供時代に住んだ家の様子を、あたしははっきり説明することができる。車寄せは土のままで、砂利など敷いていなかったこと。ポーチには階段があり、真冬以外は家族みんなが、そこで夕食後の時間をすごしたこと。台所の壁はうす緑の小花模様で、テーブルも椅子もお父さんの手造りだったこと。りんごの木があったこと。

大学時代、マークは一時「ベジタリアン」になった。でもその日々は二年も続かず、結局のところ「動物の味」に呼び戻された。大学はペンシルヴェニア州にあった。広大なとうもろこし畑に、大勢の仲間とピクニックにいった。

あたしはマークに、日本での二年間について思いつくかぎりありとあらゆることを喋《しゃべ》った。渋谷のこと、たこ焼きのこと、退屈なクラブと、そこで声をかけてくる男の子たちのこと。学校のこと。おとなしいのかやかましいのか、気が強いのか小心者なのか、全然わからなかった女の子たちのこと。

あたしたちはランスにもでかけた。あたしには、そこでマークにみせたいものがたくさんあった。大聖堂にいる微笑みの天使や、ヌガーグラッセのおいしいカフェ、日本人画家のフジタが壁に絵をかいた、「世界でいちばんかわいい」とあたしの思う小さな教会。

あたしの過去と、マークの過去。

でもいまやあたしは一人ぼっちで、過去さえ持っていないような気がする。

七日目と八日目は、ホテルを一歩もでずに過ごした。

九日目に、ガロンヌ川のほとりを歩いた。肌寒かったので上着を着て、ひたすら、まっすぐ。ボルドーは川だらけの土地だ。ガロンヌ川、ドルドーニュ川、ジロンド川。

マークもあたしも、川をみるのが好きだった。

「いつかボートの上に住むのもいいね」

そんなふうに話した。

水は濁っていた。水量が多く、曇り空を映して、流れが速い。あたしは、「アメイジングガール」なんか水に投げ込んでしまいたかった。心にも身体にもびしょびしょに染み込んでしまった、発見と幸福のめくるめく日々の記憶を、捨てられたらどんなに身軽だろうと思った。

マークとなら、なんでもできると思っていた。手や足を失《な》くしても、マークを失くすことはないと思っていた。

川風はつめたく、夕方になると雨が落ちてきた。あたしはホテルに帰り、またバスタブで泣いた。頭痛がし、食事も摂《と》らずにそのまま眠った。

十日目の朝に突然、あたしはこの街をでようと決めた。前向きな気持ちになったわけじゃない。でも、日本に連れ戻されるのは嫌だった。

行かなきゃ。

セント・ジェイムズの白い部屋の中で、その朝あたしはともかくそう思ったのだった。

「カト」

あたしはマークの声をおもいうかべる。マークの顔を、そしてマークの身体を。

「シット」

そう言ってナディアに駆けよったマークも。

九カ月前にやっと生まれたあたしは、あたしの知っていたマークと一緒に死んでしまった。もうこの世の中のどこにもいない。

あたしはマークの幸運を祈った。それから二人組だったかつてのあたしと、かつてのマークを深く悼《いた》んだ。深く深く悼んだ。

あたしはまた泣き始める。あたしのはじめての恋とはじめての人生と、失われた真実のために。

愛しいひとが、
もうすぐここに
やってくる

He is on the way.

こんなに淋《さび》しい雨の夜だから、私の大好きな男は妻を抱いているかもしれない。

そう思いながらベッドにパスティスの水割りと煙草《タバコ》を持ち込んで、本を読んですごした。本の中では人が二人死に、敏腕刑事が女性検事と恋におちる。舞台はロンドンで、女性検事は黄色い壁の地下フラットに住んでいる。

私の部屋の壁はベージュだ。台所のほかには一部屋しかない造りのアパートで、でもその一部屋は、私には十分に広い。ベッドとソファ、それに小さなテーブルを置いている。

痩《や》せた女の裸体を描いた緑色のリトグラフが一つ壁にかけてある。数年前に旅先でみつけ、一目見て買おうと決めた。びっくりするほど哀《かな》しい絵だ。

「きみらしいね」

私の好きな男は、それを見てそう言った。

白濁したパスティスを啜《すす》り、私は諦念《ていねん》の気持ちで弱く笑う。そうか、これが彼の思う私らしさか。

毎週月曜日の夕方に、私と男はホテルで逢引《あいびき》をする。短時間の、でもその都度倒れそうに幸福な逢引だ。先週、私たちはエクレアを買ってそこにいった。部屋に入るなり待ちきれずに抱きあい、シーツを甘い汗で思うさまくしゃくしゃに乱し、その間私たちの唇はつねに、話しているか笑っているか、相手に触れているかだった。帰る間際になってエクレアを食べた。互いにきちんと身支度をすませ、乱れたベッドに腰かけて。

私たちの逢引は、いつもそんなふうだ。いっそ陽気といってもいい。五十近い男と四十を過ぎた女が、裏さびしいホテルで密会をしているにしては。

部屋をでるとき、ドアの前で男はかならず私を最後に一度抱きしめる。私の大きさや感触や、私がそのとき胸の内にたしかに一つ灯《とも》している、男を好きだという事実を記憶しようとするみたいに。

雨は嫌いだ。とくにこういう深夜の雨は。

私は快適に暮らしている。私の暮らしぶりは、我ながら私らしく、忙しい。私の中の楽天的な血は、たぶん母親から譲り受けたものだ。私の両親は健在で、おなじ東京に暮らしているが、私は滅多に会うことがない。私はときどき彼らのことを思い出す。

母は、寝る前によく私に本を読んでくれた。「いさましいちびの仕立て屋」というのが母と私の気に入りの絵本で、私たちは何度もそれを読み、読むたびに満足した。

大人になって、私は自分を、あのいさましいちびの仕立て屋みたいだとしばしば思う。そして、そんなふうに思うことで、またいさましくなってしまう。

仕事場にはバスで通っている。

私のアパートは原宿《はらじゅく》にあり――原宿といっても若い人の集まる賑《にぎ》やかな辺りではなく、代々木《よよぎ》との中間辺り――、すぐ目の前がバス停だ。

私はバスという乗り物が好きだ。乗り合わせた人の生活や目的――駅前で降りる人、病院で降りる人、商店街で降りる人――が垣間見《かいまみ》えるし、窓の外の景色が電車のそれよりも近くて猥雑《わいざつ》でおもしろい。運転手の風貌《ふうぼう》や運転のし方によって、車内がそのバスだけの気配を持つことも。それに、毎朝おなじバス停に立ってみるとわかるのだけれど、バスの排気ガスの匂《にお》いは四季によって変わる。

仕事場は新宿区《しんじゆく》荒木町《あらきちよう》の雑居ビルの三階にある。私はそこで帽子をつくっている。エレベーターなどという洒落《しやれ》たものはないので、私は三階分の階段を、日に何度ものぼりおりする。

ごく小さな子供の時分から、私は帽子がすきだった。幼稚園の制帽だったやわらかな紺色のベレー帽や、小学校の制帽だった、濡《ぬ》れたようにしっとりと黒いダービーハット、りぼんのついた麦藁《むぎわら》帽子、母の持っていた美しいクローシュ、祖父のパナマ帽。

本や映画の中でさえ、帽子を被《かぶ》った人物に惹《ひ》かれた。帽子は、目深《まぶか》に被れば顔を半ば隠すのに、その人の性質は隠さない。むしろ露《あら》わにしてしまう。

帽子製作を始めて十七年になる。独立して七年。なんとか軌道にのったところだ。女の子を二人雇っている。スタッフというわけだが、ほんとうのことを言えば私はお針子という呼び名のほうが好きだ。私の製作する帽子は、ほとんど全工程が手仕事だから。

仕事場の窓からは、街路樹と道路が見える。通りの向い側に眼医者と百円パーキング、それから派手なアロハシャツをならべた古着屋。窓から身をのりだせば、左の方に、一方通行の狭い路地と缶飲料の自動販売機があるのも見える。ここは工房であって、商品は契約した店で売ってもらうのでここにお客様はこないが、私は私のスタッフに、窓ガラスはつねに磨いておくように指示している。

私の大好きな男は、決して声を荒げない。かっぷくのいい紳士で、男と女の色っぽい冗談が好きで、よく笑い、よく食べる。会社員なのに肩書きは「アートディレクター」で、そのへんはやや胡散《うさん》くさい。彼には彼の仕事があるのだが、一方で私のつくる帽子の、広報みたいなことをしてくれている。経理面での、よき助言者でもある。風邪《かぜ》をひきやすいがまずまず健康で、葉巻と、ブリジット・バルドーの映画と、競馬と家族と猫と私を愛している。

私たちのつきあいは、じき十年になる。彼の名は久紀《ひさき》で、私はその名前を口にするだけで、ひっそりしたあたたかさに満たされる。

また別の月曜日、私たちはホテルで逢引をし、めずらしく口数が少なかった。あまりにも夢中で貪《むさぼ》りあってしまい、余計なことを言う隙《ひま》も理由もなかったのだ。

秋の終りだった。

私たちはもう、それこそ力のかぎり、手も足も胴体もからめあった。どちらも息をはずませ、無言で、まるで、意志ではない何かにつき動かされているみたいだった。

すべてのあと、ベッドにならんで仰向けに横たわった。

私は、自分の手足がどこかにいってしまったような気がした。あるのは頭と呼吸器官だけであるような気がした。それでためしに右腕を持ち上げてみた。おどろいたことに右腕はちゃんとついており、私はその長ほそい物体を、はじめて見るもののように眺めた。

それから右足を持ち上げ、左足を持ち上げた。順番に。それはおかしな感じだった。自分のものとは思えなかった。すぐそばで、私の好きな男が小さく笑った。

「それ、あやつり、人形のまね?」

まだ息をはずませていた。

私は、私が男を愛しているのとは全く別に、私の身体《からだ》が彼の身体を愛していることを知った。

その日、私は男と別れてから、一人で仕事場の近くの軽食堂で食事をした。グラスで頼んだ赤ワインが、関節という関節に流れ込む気がしておどろいた。私の身体は、もはや私のものではなくなっていた。私にはとても制御できないやんちゃ娘だった。

約束の場所に向かうとき、私には、自分の頬《ほお》が紅潮するのがわかる。どんなに寒い日でも、どんなに目深に帽子を被っていても。

おなじように、私の大好きな男も頬を紅潮させている。仕事がどんな具合であろうと、家庭がどんな具合であろうと。

私は自分たち二人を、遠い日に出会った男の子供と女の子供であるように感じる。快活で素朴で。

毎週水曜日の午後、私は学校で帽子製作を教えている。生徒たちは若く、騒々しい。本気で帽子製作を仕事にしようと考えている子は少なく、しかも、そうでない子の方がたいてい有能だ。

クラスは毎年二十人前後の生徒で構成され、そのうちの五人前後が男の子だ。授業は実習中心なので、教室がすなわち工房であるのに、彼らは教室でパンやお菓子を食べることをやめない。帽子に適した布の多くが、パンくずや油や動物の毛や、ともかく小さな汚れをひどく嫌うというのに。

生徒の一人は、わたしをミスグレイと呼ぶ。私がグレイの服ばかり着るからだ。私にはチャコールグレイが似合う。私はじぶんでそれを知っている。そして私はそれに合わせて、たいてい煉瓦色《れんがいろ》の口紅を塗る。くっきり。

私はこの仕事をたのしんでいると言わなくてはならない。春、新しい顔ぶれが教室にならぶと、私の心は浮き立っている。

月曜日以外の日、私と私の好きな男は、ごく普通の友人同士のように、一緒に食事をしたり映画を観《み》たりする。この部屋に彼がやって来ることもあり、そういうとき、私は料理をつくるし、彼はワインやチーズやハムを買ってくる。

でもホテルにはいかない。ホテルにいくのは月曜日と決まっている。それが私たちの習慣なのだ。

習慣。

たとえば彼の自宅に電話をしないことは私の習慣だ。ホテルでは自分で服を脱ぐことも。行為のとき会話以外の声をたてないことも。食事はその時々でどちらかが支払いをするが、お酒は彼にごちそうしてもらうことに決めている、ということも。彼がこの部屋で喫《す》う葉巻は私が選ぶ、ということも。

彼のすべてについて、私は私の習慣を持っている。彼の妻が持っているのとおなじように。

月に一度、私は私の先生を訪ねる。帽子製作について、縫製の基礎からデザインの理念まで、私に教えてくれた女性だ。この国の服飾文化に重要な足跡を残した人だが、いまは見る影もない。名の通った人で、いまも海外で暮らしていると信じている人々もいるが、実際には、神奈川県にある老人施設で暮らしている。

水曜日に私の教えているクラスは、もともと彼女のクラスだった。聡明《そうめい》で厳しい、年をとっても少女のように潔癖なところのある先生だった。

先生はずっと質素に暮らしていたが、先生の子供たちはお金持ちであるらしく、そこは立派な施設だ。面会には豪奢《ごうしゃ》な個室があてがわれ、先生は、たとえば真珠のイヤリングをつけてそこに現れる。

彼女はもう帽子は被らない。「鬱陶《うっとう》しい」のだと言う。ときどき私を親戚《しんせき》の誰彼と間違える。

私たちはそこでお茶をのむ。私は私自身や生徒たちのつくった帽子を、その部屋に持ち込んで先生にみせる。それがとりわけ上出来でも呆《あき》れるほど粗雑でも、先生はもう興味を示さない。

面会は、結果として悲しい気持ちを残しておわる。それでも私は月に一度そこを訪ねる。それが私の習慣で、彼女が亡くなるまで、私はそれを続けるだろう。

一度、面会室を出るときにコートを着ようとして、はずれかけたブローチの針で指をさしてしまったことがある。私は小さな悲鳴をあげ、指先にきれいな赤いしずくがまるく溢《あふ》れるのを見つめた。先生はそれに気づかず、来てくれた礼のようなことをすぐ横でぶつぶつつぶやいた。私は自分が微笑《ほほえ》んだことを憶《おぼ》えている。とてもきれいな血だった。私は自分がまだ若く、健康な動物であると感じた。コートを着て、おもてにでた。先生をそこに残して。

「きみはすばらしいな」

ある月曜日の夕方、情事のあとで、私の大好きな男が言った。

私は髪をかきあげ、まだ息をはずませたまま、男の汗ばんだ胸に頬をつけた。

「だってあなたがすばらしいから、知らないうちに私もすばらしくなっちゃうんだわ、きっと」

私たちはみつめあい、猫同士みたいに微笑みあった。すると男はいきなり笑いだし、

「まったくわからない」

と言った。愉快そうな口調だったのに、そのあと起き上がって服を身につけるあいだに、たちまち悲しそうになった。

「なあに？　なにがわからないの？」

とり残され、淋しくなって私は訊《き》いた。

「どうして僕は妻と別れないんだろうね」

茶化すような口調で、でも切るように悲しい目で、私の大好きな男は言った。

それは、でも、私にはわかりようのないことだった。私たちはまたみつめあい、微笑みあった。

「奇妙ね」

私はそう言ってみた。

こまかい雨だ。目をつぶると、無数の水が空気をふるわせる、その音のかそけさでわかる。かそけき、でも執拗《しつよう》なその音。

私は目をとじて眠ろうと努力する。布団を両肩にきちんとあてがう。

私はつくりかけの帽子のことを考える。ゴブハットと呼ばれるカジュアルな帽子をいまふうにアレンジしたもので、ギンガムチェックやシンプルなモノトーンの、丈夫な布でつくろうと思っている。

私がずっとそうしてきたように、楽しく暮らしている女の子たちに被ってほしいなと考える。

思いたって起き上がり、クロゼットに行って、私は私自身の思い出深い帽子をとりだす。それはきわめて上等のキャスケットで、私の先生がつくってくれたものだ。黒い大きなりぼんのついた、黒い軽いキャスケット。

私はそれを被り、裸足《はだし》で部屋の中を歩きまわる。二杯目のパスティスをつくり、ステレオにブレンデルをのせてモーツァルトをかける。

「恋愛がすべてではないわよね」

私は一度、大好きな男にそう言ってみたことがある。彼はすこし考えて、

「すべてでは、ないだろうね」

と、こたえた。

それで十分だった。私たちはお互いに、どうあがいても愛している、と伝えあったのとおなじことだった。

私たちは、たぶん単純な者同士なのだろう。複雑なことを、単純に複雑なまま受け入れてしまう。

私は帽子を被ったままベッドに戻る。そして再び本を読み始める。

大切なのは快適に暮らすことと、習慣を守ることだ。

そう思いながら、私は本の頁《ページ》をめくる。本の中では女性検事が同僚とお茶をのみ、随分とながい時間をかけて、ロンドン郊外で買物をしている。

私の好きな男が妻と別れないのは、そこに帰るのが彼の習慣だからだろう。私はそんなふうに考えてみる。人にはみんな習慣があるのだ。

パスティスの曖昧《あいまい》な甘味と、液体の単純なやわらかさ。私はそれをのみ、本を閉じて枕元《まくらもと》のあかりを消す。あしたになればまたバスに乗り、仕事場にでかける。

私は毎日三階分の階段をのぼりおりする。私の仕事は帽子をつくることで、その売り上げで二人の女の子を雇っている。

あとがき

短編小説を書きたい、と思い立ちました。いろんな生活、いろんな人生、いろんな人々。とりどりで、不可解で。
愛にだけは躊躇《ためら》わない――あるいは躊躇わなかった――女たちの物語になりました。
人生は勿論《もちろん》泳ぐのに安全でも適切でもないわけですが、彼女たちが蜜《みつ》のような一瞬をたしかに生きたということを、それは他の誰の人生にも起こらなかったことだということを、そのことの強烈さと、それからも続いていく生活の果てしなさと共に、小説のうしろにひそませることができていたら嬉《うれ》しいです。
It's not safe or suitable to swim.は、実際に私がアメリカを旅行していて見た立て札の言葉です。文法的には or ではなく nor を使うべきなのではないかしら、とも思ったのですが、なにしろその立て札は or になっていましたので、そのままにしました。

また、『十日間の死』にでてくるセント・ジェイムズホテルは、この小説のインスピレーションを与えてくれたホテルで、文中では「気どった、いけすかないホテル」となっていますが、気持ちのいいホテルだったことをつけ加えておきます。

瞬間の集積が時間であり、時間の集積が人生であるならば、私はやっぱり瞬間を信じたい。SAFE でも SUITABLE でもない人生で、長期展望にどんな意味があるのでしょうか。

私もまた、考えるまでもなく彼女たちの一人なのでした。

二〇〇二年　二月

江國香織

解説

山田詠美

泳ぐのに、安全でも適切でもない所に、あえて飛び込んでしまったらどうなるか。そのことについて考えてみる。水面に触れる寸前のとてつもないスリル。水が皮膚を覆い始めた際の心地良さ。けれども、それは、すぐさま意地悪な程の冷たさに変わる。泳げるだろうか、と不安になる。泳いでみるべきだろうか、と迷う。このまま行けそうかも、という期待。しかし、水は圧倒的な力を持って全身を包み、ままならない。そして、もがく。苦しむ。溺れる。やがて、死と一番近い場所に流れ着く。その瞬間に訪れるそこはかとない静けさに身をゆだねる頃には、もう自分が生きているのか死んでいるのか解らなくなる。解っているのは、いずれにせよ、自分が、ようやく水を獲得したということだ。

この小説集は、そのような水を獲得した人々の物語であると思う。物語というと何やらドラマに満ちた長いお話のようだが、ここには、そんな冗漫さは欠片《かけら》もない。それどころか、短編小説と呼ぶにしても非常に短い作品ばかりだ。それなのに、物語。濃縮された物語がそこにある。それは、ジュースよろしく薄い味に還元されたりはしない。濃いままの味を一滴だけ読者に味わわせてくれるのだ。その一滴で、どのような風味と味わいを持つのかを読み手に知らしめる。後は、私たち自身の持つ水で自在に混ぜ合わせて飲み頃にすれば良い。その術を知った人たちは、凝縮された江國香織エッセンスを美しい小瓶に詰めて心に隠し持ちたくなるだろう。

読書を習慣にしていると、ただ何か読んでいたいだけという気分で、漫然と活字を追っていることがある。ものすごく楽しい訳ではないが、活字中毒としては、それはそれで良いと思う。けれども、時に、「えっ!?」と驚くことがある。この「えっ!?」の後には、こう続く。

「字、なのに……!?」

そう呟いてしまう時、無機質な活字から五感のすべてを刺激して、くっきりとひとつの情景が浮かび上がるのである。まるで触れそうなくらいにくっきりと。匂いも嗅げそうにはっきりと。ぶれなどないかのように正確に。色だって、音だって、ちゃんとあるのだ。……字、なのに。

「うんとお腹をすかせてきてね」の美代と裕也は、デートの時に、いつも二人で沢山食べて、沢山セックスをする。まるで同化してしまいそうなくらい。それでも二人は別々な人間だ。

〈あたしたちは快適に愛し合う。不埒な恰好で、いろいろなかたちになって。眺めたり顔を埋めたり、しゃぶったり息をこぼしたり、唇をはわせ指をはわせ、細胞にさざ波を立てる。背中にまざりたがり、肩に溶けたがる。裕也は途方もなく大きく、あたしも途方もなく大きい。世界全部が裕也とあたしの肉体になる。肉汁がしたたるみたいな裕也の肉体と、果汁がしたたるみたいなあたしの肉体と。〉

彼らが食べ続ける数々のおいしい食べものの描写の後に、これ。二人が体を離して別々の部屋でひとりになる前に、これ。ひとつになれる悲しいくらいの幸せのいっときのはかなさがびっしりと満ちていて空気の隙間もない。……字、なのに。

「りんご追分」のさっちゃんは、いつのまにか働かなくなった男との日々に倦んでいる。彼に声を荒らげる自分に打ちのめされている。それでも、彼を失ったら泣くだろうと思う。夜もバーで働く彼女が、みじめな男の客とつかの間の会話を交わして明け方ひとりで家に帰ろうとする。

〈グラウンドの角をまがったとき、いきなり音が破裂した。トランペットだった。あたり一面全部の空気をふるわせて、力強い音が流れた。おそろしくゆっくりの、暴力的なまでに巧みな、「りんご追分」だった。音は空に向かって破裂するようにも、地面にしずかにおりていくようにも思えた。あたしは動けなかった。

　どうしてだかわからない。あたしの心臓が泣き始めた。号泣、と言ってもいいような泣き方だった。〉

　人の心の堤防を崩してしまうのは、投げつけられたひどい言葉でも暴力でもないのだ。通りすがりの男の返す〈おやすみなさい〉であり、トランペットの音色であることも。何故なら、それは不意打ちだから。不意打ちが、涙腺の堰を切る。「りんご追分」が、彼女のそのためだけに作られた曲のように、はっきりと私たちの耳に届く。聞こえて来る。……字、なのに。

このように目を見張る（これも、字、なのに、そうさせられてしまう）部分をこの小説集から選ぼうとすると、もう、きりがない。先に、「濃縮」という言葉を使ったが、これらの濃縮された一滴は、ほとんど野蛮に読者にぶつけられる。その野蛮さは、たとえば、いとおしい人が、優しく自分を抱き締めるだろうと予期した時に、いきなり乱暴に押し倒されたような感じ。折り重なって倒れれば、そこには息が詰まる程、甘く、もの狂おしいシーツが優雅な様子で敷いてある。それに気付くたびに、ああ、と私は、この作者の言葉の扱いにひれ伏してしまうのである。細心の注意を払い、美しい細工をほどこした野蛮を文章世界に埋め込める、江國香織は稀な小説家である。

もう一度、冒頭に戻ってみる。泳ぐのに、安全でも適切でもない所に、あえて飛び込んでしまったらどうなるか。たぶん、溺れて死んでしまうのである。それは、不幸か。その寸前に、水の中から見た、自分のたてたスプラッシュが、あまりにも忘れがたい光を反射していたら？　それを目にした本人だけが知ることだ。江國さんの小説には、人の死だけではない、色々な死が点在している。安全でも適切でもない瞬間にだけ存在するかけがえのない死である。

集英社文庫

江國香織の本

好評既刊

都の子

いままでに出会った人々や訪れた場所、印象的な風景、幼い日の感情……。「記憶」という名の宝石箱から紡ぎ出された36篇。繊細な感性とみずみずしい視線が眩しい、初めてのエッセイ集。

なつのひかり

全篇にみなぎるまばゆくけだるい夏の光。来週21歳になる「私」と〝双生児のような〟兄をめぐる、シュールで、真実のものがたり。遠い日に失われた幸福感と、切なさに満ちた名作。

いくつもの週末

いくつもの週末にデートを重ね、サラリーマンの彼と結婚した著者。日々の想い、生活の風景、男と女のリアリズム——。恋愛小説の名手が告白する、甘く、ビターな結婚生活。 茂田井 武・画

薔薇《ばら》の木 枇杷《びわ》の木 檸檬《れもん》の木

恋愛は世界を循環するエネルギー。日常というフィールドを舞台に、何ものをも畏れず軽やかに繰り広げられる、9人の女性たちの恋と愛と情事。ソフィスティケイトされたタッチの「恋愛運動小説」。

ホテル カクタス

三階に帽子が、二階にきゅうりが、一階に数字の2が住む石造りの古びたアパート、ホテル カクタス。「三人」の、可笑しくて少し哀しい日々を描く、詩情あふれる大人のメルヘン。 佐々木敦子・画

モンテロッソのピンクの壁（絵本）

夢にでてきた、ピンクの壁があるところ、モンテロッソにいかなくちゃ！ 猫のハスカップの旅が続く……。荒井良二の美しい絵〈描きおろし多数〉でいざなう江國ワールド。巻末エッセイ・金原ひとみ

集英社文庫　目録（日本文学）

植松三十里　レイモンさん　函館ソーセージマイスター
内田康夫　浅見光彦豪華客船「飛鳥」の名推理
内田康夫　軽井沢殺人事件
内田康夫　北国《ほっこく》街道殺人事件
内田康夫　浅見光彦　四つの事件　名探偵と巡る旅
内田康夫　名探偵浅見光彦のニッポン不思議《ミステリー》紀行
内田洋子　カテリーナの旅支度　イタリア　二十の追想
内田洋子　どうしようもないのに、好き　イタリア15の恋愛物語
内田洋子　イタリアのしっぽ
宇野千代　生きていく願望
宇野千代　普段着の生きて行く私
宇野千代　行動することが生きることである
宇野千代　恋愛作法
宇野千代　私の作ったお惣菜
宇野千代　私の幸福論
宇野千代　幸福は幸福を呼ぶ

宇野千代　私の長生き料理
宇野千代　私何だか死なないような気がするんですよ
宇野千代　薄墨の桜
冲方丁　もらい泣き
海猫沢めろん　ニコニコ時給800円
梅原猛　神々の流竄《るざん》
梅原猛　飛鳥とは何か
梅原猛　日常の思想
梅原猛　聖徳太子1・2・3・4
梅原猛　日本の深層　縄文・蝦夷文化を探る
宇山佳佑　ガールズ・ステップ
宇山佳佑　桜のような僕の恋人
宇山佳佑　今夜、ロマンス劇場で
江川晴　企業病棟
江國香織　都の子
江國香織　なつのひかり

江國香織　いくつもの週末
江國香織　薔薇《ばら》の木　枇杷《びわ》の木　檸檬《れもん》の木
江國香織　ホテル カクタス
江國香織　モンテロッソのピンクの壁
江國香織　泳ぐのに、安全でも適切でもありません
江國香織　とるにたらないものもの
江國香織　日のあたる白い壁
江國香織　すきまのおともだちたち
江國香織　左岸（上）（下）
江國香織　抱擁、あるいはライスには塩を（上）（下）
江國香織・訳　パールストリートのクレイジー女たち
江角マキコ　もう迷わない生活
江戸川乱歩　明智小五郎事件簿Ⅰ～Ⅻ
NHKスペシャル取材班　激走！日本アルプス大縦断　密着トランスジャパンアルプスレース富山～静岡415km
江原啓之　子どもが危ない！　スピリチュアル・カウンセラーからの警鐘
江原啓之　いのちが危ない！　スピリチュアル・カウンセラーからの提言

集英社文庫　目録（日本文学）

M　L change the WorLd
ロバート・D・エルドリッヂ　トモダチ作戦　気仙沼大島と米軍海兵隊の奇跡の"絆"
遠藤周作　勇気ある言葉
遠藤周作　ほんとうの私を求めて
遠藤周作　父　親
遠藤周作　ぐうたら社会学
遠藤周作　愛情セミナー
遠藤武文　デッド・リミット
逢坂剛　裏切りの日日
逢坂剛　空白の研究
逢坂剛　情状鑑定人
逢坂剛　よみがえる百舌《もず》
逢坂剛　しのびよる月
逢坂剛　水中眼鏡《ゴーグル》の女
逢坂剛　さまよえる脳髄
逢坂剛　配達される女
逢坂剛　鵟《のすり》の巣
逢坂剛　恩はあだで返せ
逢坂剛　おれたちの街
逢坂剛　百舌《もず》の叫ぶ夜
逢坂剛　幻の翼
逢坂剛　砕かれた鍵
逢坂剛　相棒に気をつけろ
逢坂剛　相棒に手を出すな
逢坂剛　大迷走
逢坂剛　墓標なき街
逢坂剛他　棋翁戦てんまつ記
大江健三郎・選　何とも知れない未来に
大江健三郎　「話して考える《シンク・トーク》」と「書いて考える《シンク・ライト》」
大江健三郎　読む人間
大岡昇平　靴の話　大岡昇平戦争小説集
大沢在昌　悪人海岸探偵局
大沢在昌　無病息災エージェント
大沢在昌　ダブル・トラップ
大沢在昌　死角形の遺産
大沢在昌　絶対安全エージェント
大沢在昌　陽のあたるオヤジ
大沢在昌　黄龍の耳
大沢在昌　野獣駆けろ
大沢在昌　影絵の騎士
大沢在昌　パンドラ・アイランド(上)(下)
大沢在昌　欧亜純白ユーラシアホワイト(上)(下)
大沢在昌　烙印の森
大島里美　君と1回目の恋
大島里美　サヨナラまでの30分　side：ECHOLL
大城立裕　焼け跡の高校教師
太田和彦　ニッポンぶらり旅　宇和島の鯛めしは生卵入りだった
太田和彦　ニッポンぶらり旅　アゴの竹輪とドイツビール

集英社文庫

泳《およ》ぐのに、安全《あんぜん》でも適切《てきせつ》でもありません

2005年2月25日　第1刷
2020年6月6日　第10刷

定価はカバーに表示してあります。

著者　江國香織《えくにかおり》
発行者　徳永　真
発行所　株式会社　集英社
東京都千代田区一ツ橋2-5-10　〒101-8050
電話　【編集部】03-3230-6095
【読者係】03-3230-6080
【販売部】03-3230-6393(書店専用)
印刷　凸版印刷株式会社
製本　凸版印刷株式会社

フォーマットデザイン　アリヤマデザインストア　　マークデザイン　居山浩二

ISBN978-4-08-747785-6 C0193